カナダ移住、家族4人でチャレンジ中！

漫画 こばぱぱ

著者・原作 かほせいチャンネル

KADOKAWA

家《か》族《ぞく》4人《にん》でカナダに移《い》住《じゅう》――

大変《たいへん》だったけど実現《じつげん》できました！

CONTENTS

かほせいチャンネル大紹介《だいしょうかい》

カナダ在住《ざいじゅう》の家族YouTuber「かほせいチャンネル」。双子《ふたご》のかほ&せいと、ママ&パパの4人家族で、定番《ていばん》企画《きかく》「24時間チャレンジ」をはじめ、いろんなアイデア企画に仲良く挑戦《ちょうせん》しています。

誕生月 11月

血液型 ?型（まだ調べていない）

せいと双子のきょうだい。日本で生まれた後、家族と共にカナダへ移住。基本《きほん》はしっかり者で優《やさ》しいお姉さん肌《はだ》だけど、慣《な》れてくるとお調子者になる。

得意《とくい》な教科は数学。苦手な教科は国語。

最近ハマっているものはK-POP。

お気に入りのマンガは、いっぱいありすぎて選べない。どうしてもひとつ選べと言われたら『ママレード・ボーイ』。

誕生月 11月

血液型 B型

かほと双子のきょうだい。日本で生まれた後、家族と共にカナダへ移住。ひょうきん者で、かほせい家のムードメーカー。双子のかほとは大の仲良し。

得意な教科は歴史。苦手な教科は国語。

好きなことはバスケットボールとゲーム（FPSとRPG）。トレードマークはこだわりのメガネ。

ママ

MAMA

誕生月 2月

血液型 B型

かほせいのママ。YouTube「かほせいチャンネル」の生みの親。

福岡県出身。高校卒業後、単身《たんしん》渡《と》米《べい》しアメリカの大学を卒業。就職《しゅうしょく》を機に日本へ帰国したときにパパと出会う。一度決めたら一直線に突《つ》き進む情熱《じょうねつ》家《か》肌《はだ》。好きな言葉は「とりあえずやってみよう」。でも、意外に心配性《しんぱいしょう》でもある。

パパ

PAPA

誕生月 8月

血液型 O型

かほせいのパパ。福島県出身。高校時代は東京にあこがれて東京のどまんなかの大学に進学。その後は海外での生活にあこがれるものの長《ちょう》期《き》留学経験《りゅうがくけいけん》はないまま社会人に。性格《せいかく》はマイペースな頑固《がんこ》モノ。周りからは天然と思われることもある。好きなものはサッカー（海外＆Jリーグ）。最近はe-Sports観戦《かんせん》にもハマっている。好きな言葉は「このために生きてる～」。口ぐせは「満身創《まんしんそう》痍《い》」。

みなさま
みなさま
こんにちは!
カナダで暮《く》らす4人家族・YouTuberの
かほせいチャンネルです〜!
ばーん!!
おおっ! 漫画版《まんがばん》の私《わたし》たち、どうです? いい感じ?
私たちは2015年
日本を離《はな》れここカナダの地へやってきました
ザンッ
東京から15時間! 寒いよぉ〜
慣《な》れない環境《かんきょう》のなか
ひょんなことからYouTubeをスタートした私たちですが…
ぐあああ
ぬっ…

おかげさまで たくさんのかたに 応援《おうえん》していただき
カナダから 家族4人の暮《く》らしを 日々お届《とど》けしています
ワイ
ワイ
かほせいチャンネル♡
だが しかし!
この暮らしに 落ち着く までには
いろいろな 事件《じけん》や ドラマが ありました…
ばッ!!!
ハハハ…
「紆余曲折《うよきょくせつ》」って いうやつだね…
この本では、普段《ふだん》の動画では 話して こなかった
カナダ暮らしの 裏側《うらがわ》はもちろん、
私《わたし》たちが なぜ
カナダへ 移《うつ》り住み、
どうして YouTuberとして
バサ
バサ
活動することに なったのか…!?

そんな知られざるかほせいチャンネルのヒストリーを
特別に大公開したいと思います！
ばんッ
もしかしてあんなことやこんなことも⁉
おおお‼ いいの⁉ 話しちゃうの⁉
ふふふ それは
ページをめくってからのおたのしみ♪ それじゃあいくよっ‼
せ〜のが、さんはい！
はじまりはじまり〜
ぱあああああ

※「せ〜のがさんはい」は、「せ〜の」という意味。
ママの出身・福岡の方言だよ！

CHAPTER

1

かほせい ファミリーの カナダ暮《ぐ》らし

移《い》住《じゅう》先《さき》のカナダってどんな国?を、
かほせいファミリーの視《し》点《てん》で
ご紹《しょう》介《かい》します!

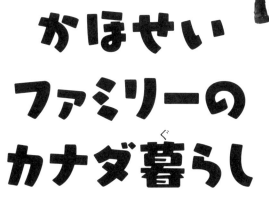

カナダってどんな場所？

まずはぼくたちの住んでる
カナダの魅力《みりょく》を教えるよ！
CANADA
カナダはとにかく
自然がいっぱいで
自然がいっぱいで
自然がいっぱい
カナダは
自然がいっぱいの国!!
どーーん！

友人が来たときの定番旅行はカナディアンロッキー
ぐがー
ブロロロロロロロ…
しかし片道《かたみち》5時間を何往復《なんおうふく》したことか…おなかいっぱいです

カナダの冬

カナダ内陸部《ないりくぶ》の冬は寒い
ガチャ
どれどれ
マイナス20℃が当たり前
ヒュオオオオオ
うかつに外に出ると
パキキキ…
パパまつ毛が!!
カチ
コチ
ママ！早くパパにアレを！
オッケー
ズボッ
日本なら秒で逮捕《たいほ》されそうだが
あぶね
カナダではこれがないと秒で凍《こお》る
パパ
どーーん!!

帽子《ぼうし》売り場でもこの帽子がふつうに売られています
ギョッ
最初はビックリしましたが冬になって納得しました…

もうすぐ
クリスマス
よな?
ザバァッ

MAMA COMMENT

以前に12月にフロリダのウォルト・ディズニー・ワールド・リゾートに行ったとき、ホテルの人から「12月の真冬のプールで泳いでいるのはカナダ人だけだ」と聞いたことがあります。カナダ人の体感はちょっとおかしいのかもしれません…。

カナダの春

カナダの冬は長い
さぶ
1年の半分は冬
みんな春や夏が恋《こい》しい
まだかなぁ…
春が来たらうれしくて
半そで短パンで外出しちゃう人続出
ばっ!!
ま、春が来たっていっても…
ヒュウウウウ
日本ならほぼ冬ッ!!
ヒイッ
まだ10℃なんですけどね!!

カナダの夏

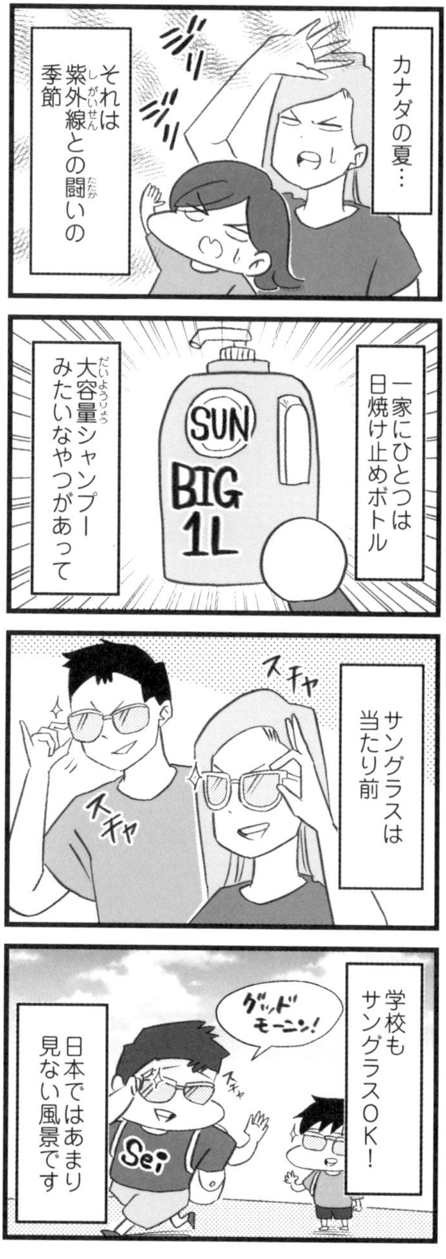
カナダの夏…
それは紫外線《しがいせん》との闘《たたか》いの季節
SUN
BIG
1L
一家にひとつは日焼け止めボトル
大容量《だいようりょう》シャンプーみたいなやつがあって
スチャ
サングラスは当たり前
スチャ
学校もサングラスOK!
グッドモーニン!
スチャ
Sei
日本ではあまり見ない風景です

夏は21時くらいでも明るいです
子どもたちも涼《すず》しくなる夕方からやっと遊べるので夜でも公園は大混雑《だいこんざつ》
END LINE
こんな時間なのに…
まじか…

カナダの秋

秋の紅葉《こうよう》
それはカナダ名物のひとつ！
カナダの国旗は真紅《しんく》のメープルだし
木々の美しさはカナダならではだよね！
しかし…それにより実はあるものが人々を悩《なや》ませている…
花粉症《かふんしょう》である
ガッデム
ち〜ん

豊かな自然はステキなことなんだけどね…

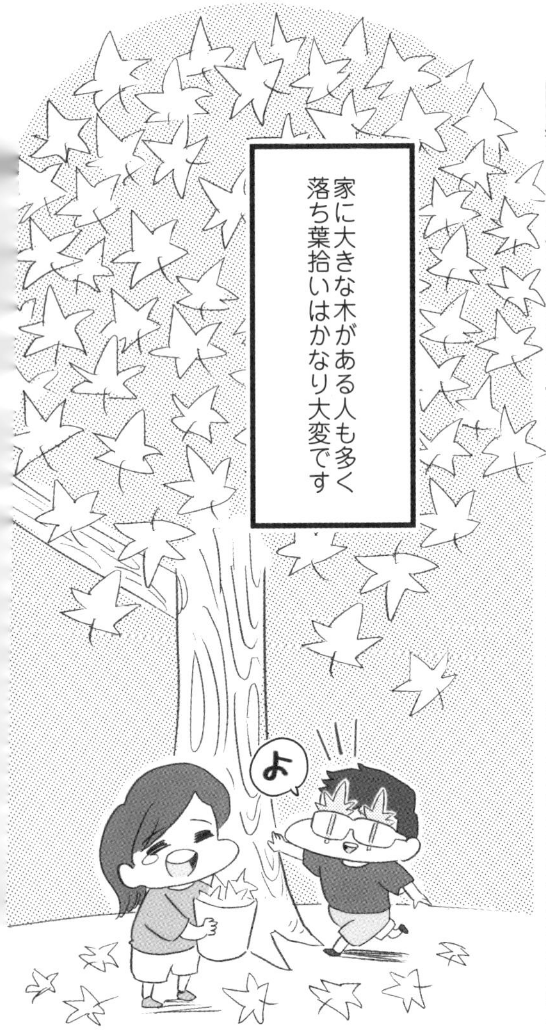
家に大きな木がある人も多く落ち葉拾いはかなり大変です
よ

ちなみにわが家は葉が落ちない木にしています

カナダの食べ物

Chinese
French
Thailand

カナダ名物① メープルシロップ
※ホットケーキにかけたりするよね！
カナダ名物② プーティーン
※ポテトにグレイビーソースと
粒状のチーズをかけたものだよ
それ以外の
カナダ名物料理？
はっきり言って
ほぼありません
いろんな国から人が
集まっているから
きょうは
韓国料理でーす
各国のおいしい料理
を食べられるのが
カナダのいいところ！

PAPA COMMENT

中華《ちゅうか》料理や韓国《かんこく》料理はもちろん、ベトナム・タイ・マレーシア・イタリア・フランス・メキシコ・ギリシャなど…各国の料理店がいっぱいあるので、おいしいお店を探《さが》すのが大変。残念ながらハズレのレストランも多いので、注意が必要です。かほせいのお気に入りは、韓国料理や中華料理！ パパはメキシコ料理、ママはイタリアンが好きです。

カナダの人々

カナダ人の食事風景で
思うこと…
みんな
パティオ席※好きすぎ説
ワイ
ワイ
寒い日でも
おーさぶ…
パティオ席が店内より人気
5℃位になってもストーブを焚《た》いて
絶対《ぜったい》にゆずらねぇ
SOTO命
ストーブ
パティオ席を死守《ししゅ》している

※日本でいうテラス席

わが家はみんなパティオ席にこだわりがないので

暖《あたた》かくて空いている店内を選びます

パティオを制する者はカナダを制すッ!!
ぬく
♪
ぬく

ズルズルズルズルズルズル
本場の日本のうどんが恋《こい》しい…

かほせい家の食事

わが家の食事
基本、家では日本食です
ぱぁあああ
どーーん!!
アジア系《けい》スーパーへ行けば
日本の食材はたいてい手に入るのだ
ASIA MARKET
大首相KOBA
AMK
WELCOME
ただ…
輸入品《ゆにゅうひん》なので
やっぱり高い(涙)
おみそ
たっ高っっ
テヘヘ…
この納豆《なっとう》日本円で3パック500円だから大事に食べてね

MAMA COMMENT

カナダにないもの…おいしいうどんにおいしいラーメン、カラオケ、コンビニ、そして親戚家族《しんせきかぞく》です…。

ストライキ

カナダでよくあること
ストライキ
NO
NO
NO
ストライキでバスや電車が止まることもある
それが日常《にちじょう》
BUS
NO
NO
中でも驚《おどろ》いたのは
学校の先生や職員《しょくいん》の方によるストライキ
明日から教室には来ません
I AM TEACHER
学校が休みになり親は困《こま》るけれど
子どもたちは
Yeaaaaah!!
ストライキヒャッホー!!!
大よろこび

メールきた…!
先生たち…本気だわ…
ストライキのお知らせ

PAPA COMMENT

ストライキになる場合、数日前に先生からメールで「〇×について合意がなければ〇日からはストライキになり学校は休みになります。進展《しんてん》があるまでストライキは続きます」と予告が届《とど》きます。当日の朝、結果がわかって、ストライキだと休みになります。

びっくりしたこと

カナダに来た当初買い物でびっくりしたことがある
あざしたー
はいおつりー
ポン
え…
2セントたりない…
細かいおつりがなかったことになる
ズズズ
ズズ
理由はカナダの通貨「カナダドル」
2013年に1セントコインが廃止《はいし》されたのだ
もしかすると日本人は細かすぎるのかも
みんな気にしてないのか…
スーパーの卵《たまご》が割《わ》れていたり野菜が腐《くさ》っていても
みんな「それを選んだ自分が悪いよね～」という感覚であきらめている
ま、いっか！
パキキ…
正気かよ…

子どもとお年寄《としょ》りにも
とても優しいカナダ人
カナダ人はほぼみんな
すぐ席をゆずって
笑顔で話しかけてくれる
hahaha!

優《やさ》しさ

カナダに来たばかりのころ
あ〜ディストレイン ゴー… えーっと…
?
パパは英語の発音が
通じないこともあった
移民《いみん》ならではの訛《なま》りが強い発音でも
hun hun
hun hun
アンドゥ えー……
カナダの人は辛抱強《しんぼうづよ》く聞き取ろうとしてくれた
私《わたし》が聞き取れなくて
ごめんなさいね…
…と謝《あやま》られたりもした
いや訛《なま》ってるのはこっちだし！ 謝らないで！
カナダ人の優しさにふれたステキな思い出

PAPA COMMENT

カナダは移民にすごく寛大《かんだい》で、強い訛《なま》りにも辛抱強く付き合ってくれる人が本当に多いです。子どもやお年寄りに対しても「親切にするのが当たり前」という文化が根付いているように感じます。

ファッション

カナダは防寒優先《ぼうかんゆうせん》で
ファッションに限界《げんかい》がある
うーーん
日本のほうがオシャレさんが多い気がする
かといってお隣《となり》の国・アメリカのウェブサイトでいい服があっても
ぱぁあああ
送ってくれないため買えないかあまりに高すぎて無理かの2択《たく》
ガーン!!

ちなみにカナダの人はヨガウェアでどこにでも行く人が多いです
ぷりん
ぷりん
ぷりん
ぷりん

MAMA COMMENT

カナダには有名なヨガウェアブランド「ルルレモン」があります。「カナダグース」も有名です。現地の人たちは、カナダ発のブランドの服を結《けっ》構《こう》身につけていて、カナダを応援《おうえん》しようとしている空気を感じますね。

こだわり

かほせいが大きくなって
一緒《いっしょ》に買い物に行くことが増《ふ》えた
じゃーん
2人とも心はカナダ人のはずなのになかなかのこだわり派《は》
かほは試着しないと買わない
気に入ったらサイズちがいや色ちがいをそろえる
せいは色の組み合わせにこだわる
メガネも合わせるこだわりっぷり
ドドドドドド
PERFECT GLASS

ママが勝手に買った服は着てくれなくなりました
成長を感じる…
すっ…

カナダのおうち①

カナダのおうちは
キリリリリッ
「温度」について条例《じょうれい》がある
一定の温度以上に保てる暖房《だんぼう》システム※がないと
ダメェエエエ
19度!?
家として認《みと》められない
だから家の中はぽかぽか♡
ばっ
トイレも脱衣所《だついじょ》もぽっかぽか♡
おうちの中だけは
ぬくぬく
日本の冬よりもあったかい

※セントラルヒーティングシステムといいます。わが家は22℃で保っています。

KAHO COMMENT

冬でも家の中ではTシャツで過《す》ごすくらい暖かいです。外に出かけるときは、Tシャツの上から分《ぶ》厚《あつ》いコートを着て出発! これが「カナダ流」です。

カナダのおうち②

カナダでは
冬は基本的《きほんてき》におうちの窓《まど》を開けない
No!
ブォオオ
旅行中でも暖房《だんぼう》は切らない
もしも窓を開けっぱなしにしちゃったら…?
ヒュオオオオオ
家中にある暖房パイプが凍《こお》って
水道管が破裂《はれつ》します
今でも旅行で家をしばらく空けるとき
暖房料金がちょっと気になってしまうパパなのでした…
ぬく
ぬく

広い家?

広い家で
すっごいですね!

と視聴者さんから
コメントをいただく
ことがある

ばーーん

ただうちはカナダの中でも
すっごく豪邸…?

…とも言い切れない
(撮影のために広め
ではあるけれど)

ど''ん!!

わが家の近所は

どこも大きいし

ド゛ドン!!

いやもう
城ッ!!

地域によっては
本当に大豪邸があって

なんてこともある

厳しい冬の間は
外装工事が進められません

いいかー

冬が来たら
外の工事はできなく
なるぞー!
がんばれー!

4〜10月の期間限定で
家の建設工事を進めます

トン
トン
トン

ウォォォ
オォォォ
オォォォ

PAPA COMMENT

カナダは季節の大半が厳しい冬。
冬の間は工事を進められず、家を
建てるのが大変。なので、人気の都
市では人口の増加に対して家の数
がたりなくて、家の値段が高騰して
しまい、社会問題にもなっています。

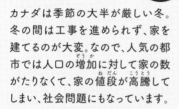

車といえば

広いカナダに住むなら
車はマストアイテム
中でも四駆《よんく》が人気
どーーん!!
雪でも快適《かいてき》だからね
KB-88
特に田舎《いなか》では
ピックアップトラック※が人気
ぱぁあああああ
かっこいい!
KS
どーーーん!!
やっぱイケてるカナダの男なら
ピックアップトラックだろう?
キラン
…と思っている男性陣《だんせいじん》が多い気がする

※トラックのように、天井がない荷台つきの自動車

道路

カナダは
とにかく道路が広い
ばーーん
しかも都市部だと10車線×2
なんてこともたまにある
1 2 3 4 5 6 7 8 9 10 11 12
広いなら渋滞《じゅうたい》なくて快適じゃん〜?
…と思っていたら大まちがいだった
車社会なので朝・夕の通勤は大渋滞
ふあ〜〜まだ〜?
トロ… トロ…

カナダのお父さんたち

ブロロロロン
カナダの小学校は
保護者《ほごしゃ》の送り迎《むか》えが必要
パパが初めて迎えに行って驚《おどろ》いたのは
ぞろぞろ…
え
父親ばっかじゃん
なんとお父さんによっては子どものお迎えに間に合うよう
朝5時や6時から働きに行くらしい
5
good morning
眠《ねむ》い…でも
一緒《いっしょ》に過《す》ごせる時間は長いほうがうれしい

カナダは男女の差は基本《きほん》ありません
女性《じょせい》は当然働くし男性《だんせい》も家事をしっかりする文化です

PAPA COMMENT

カナダの家庭はとにかく家族第一。家族以上に大事なものはない、という考え方が徹底《てってい》されているため、なにか家族の用事があれば、仕事よりも必ず優先《ゆうせん》されます。

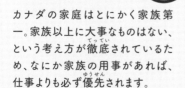

YouTuberである事実

カナダに住むご近所さんや知人に
YouTubeチャンネルの存在《そんざい》は知られているのか？
ピコン
宣伝《せんでん》もしてないけど隠《かく》してもいません
チャンネルを見せたとしても
…Wow
(へ〜)
…Awesome!
(すごいね！)
くらいで終了
反応うすめ
私生活《しせいかつ》になんの影響《えいきょう》もなく
のびのび過《す》ごせるありがたい日々です

撮影《さつえい》していると「チャンネル名教えて」と言われることは結構《けっこう》あります
「日本語しかない」と伝えると残念がられるけれどみんなチャンネル登録はしてくれます

MAMA COMMENT

英語チャンネルを作るか検討《けんとう》した時期もありましたが、英語チャンネルで有名になってしまった場合、カナダでの私生活に支障《ししょう》が出てしまうため、チャンネルは日本語のみにしました。おかげで、カナダではほぼYouTuberだと意識《いしき》せずにいられて、めぐまれた環境《かんきょう》だと思います。

日本に帰るたびに思うこと

日本に たまに 帰国すると
つい感じて しまうこと
Japan
①冬の日本の家
え…
寒っ!!
カナダの セントラル ヒーティング 恋《こい》しい…
②地元の日本食
ぱぁあああ
おいしい♡
③運転テクニック
スイー…
パチパチ
おおー スゴーイ!!
心から 尊敬《そんけい》する

日本は家族みんなで 集まれて
安心して過《す》ごせるので やっぱり大好き
ワイ
ワイ

コラム

カナダの魅《み》力《りょく》

カナダのおすすめスポットを聞きました！

カナダのおすすめスポット

SEI：おすすめスポット…おれたちの家！

MAMA：いやいや、それは（笑）。

SEI：野《や》球《きゅう》観《み》に行けるとか…。

PAPA：たしかに、野球もだし、バスケ、アイスホッケーにサッカー、全部のチームがあるから、毎週末何かしら観《かん》戦《せん》が楽しめる。

MAMA：「カナダの人はホッケーが一番好き」って言ってもいいくらい熱《あつ》いよね。

KAHO：そういえば去年のクラスメートのうち、2人がガチでホッケー習ってたよ。

PAPA：カナダの習い事の一番の定番はホッケーだよね。

MAMA：カナダの場合、ホッケーできたらクラスでモテる！

カナダのソウル・フード？

KAHO：ティム・ホートンズは？

PAPA：たしかに。コーヒーとドーナツが人気のカナダの定番ファストフード。

KAHO：でもスタバには負《ま》ける？

PAPA：いや負けないでしょ。

KAHO：学校の先生は、教室でスタバのカップ持ってるよ？

PAPA：いやティムホでしょ〜。かほは学校の昼休みに友達とティムホ行くんでしょ？※

KAHO：だって、ほかに行く所ないから…。

SEI：ぼくはゼロ回。1回も行ったことない。

MAMA：せいは仲良《なかよ》しの友達がお昼に外出NG※だから、その子に合わせて行ってないんだよね。友達と行きたい？

SEI：…1回くらいは行ってみたいかな。

※かほせいの通う学校は、昼休みに外出ができます。ただし、保護者の許可が必要です。

CHAPTER

2

かほとせいのスクールライフ

かほ＆せいはカナダで
どんな学校に通っているの？
カナダの学校生活って、
日本とちがうの？
2人の学校生活にせまります！

かほせいの学校

カナダは国際色豊《こくさいしょくゆた》か!
たくさんの移民《いみん》を受け入れてる国
街中でいろんな言葉が聞こえてくるし
Hello
Merci
Namaste
カナダ人も移民を尊重《そんちょう》してくれて
親切な人が多い
ただし日本人はそこまで多くない
かほせいの通う学校も日本人はかほせいだけ
おかげで
いろんな人種の同級生がいっぱいで楽しい

MAMA COMMENT

場所にもよりますが、アジア系の移民は比較的《ひかくてき》多いです。ただし、日本人はそこまで多くないのが現状《げんじょう》。また、地域によっては生徒のバックグラウンドが偏《かたよ》った学校もあります。わが家で学校を決める際には、なるべくいろいろな人種の生徒がバランスよく通っている学校を選んできました。現在のかほせいも、様々な国出身の友達にかこまれて過《す》ごしています。

カナダの教育事情

かほせいの通う学校は
小学校が8年間
中学校はなくて…
高校が4年間
の配分イメージ
8
4
6〜13才
14〜18才
高校まで義務《ぎむ》教育《きょういく》
18才まではゼッタイ！
「受験《じゅけん》」は特別枠《とくべつわく》に申し込《こ》まなければ別に必要ない
子どもがガリガリ勉強せず…
ほわ
ほわ
平和でゆったりしている
親としてはちょっと心配…
えー平気だよー

「がり勉」がほめられるわけでもないカルチャー
日本の感覚とかなりちがう…！
ゴゴゴゴゴ
う〜〜ん

PAPA COMMENT

「勉強は自然にできる得意な人がやればいい」という感覚なのか、無理して勉強することが推奨《すいしょう》されているわけでもないという、日本とはかなりちがう価値観《かちかん》です。のびのびしたカナダの雰囲気《ふんいき》は魅力的《みりょくてき》な一方、自分たちの経験してきた価値観とはかなりちがうので戸惑《とまど》いもあります。勉強は将来《しょうらい》の役に立つこともあるはずなので、かほせいにはちょっと勉強もがんばってほしいな〜とつい思ってしまいます。

クラス構成《こうせい》

学校で
驚《おどろ》いたことは
クラス構成《こうせい》
同じクラスに
2つの学年が
混《ま》ざっている
…
これが結構《けっこう》ある
※地域にもよりますが
学年のちがいで
オイてめえ
あいさつは
どうした!?
ギロッ
…って感じには
ならない
かほせいも
上や下の学年に
友達がいて
年齢《ねんれい》を気にせず
フラットな関係
です

一定の年齢になると
学校の休み時間に
外出ができるようになり

友達とカフェで
ランチやお茶をして
学校に戻《もど》ることもあります

かほの担任《たんにん》の先生

かほの担任《たんにん》の先生に
面談で初対面したときのこと
どんな先生だろうね～
ド
Nice to meet you!
(はじめまして！)
I'm Kaho's teacher!
(私がかほさんの担任です！)
ン
まじでええええええ
本気のタトゥーと鼻ピアスに震《ふる》えた
でもこの先生
せんせーだいすき
とってもいい先生だった

英語もがんばってますし友達とも仲良くできてますね
ニコッ
かほの様子をしっかり見守ってくれていた
(見た目で判断《はんだん》してごめんなさい！)

教科書

かほせいの学校には
教科書がない
バァァァン
うそでしょー
先生がガイドラインを元に独自《どくじ》にカリキュラムをまとめるため
先生の好みで内容《ないよう》が偏《かたよ》りがち
ポエムが好きな先生や
ほらね あなたと一緒《いっしょ》にいたい 私《わたし》の心はあなただけ だから 3に3をたすと…6なのよ…
うるうる…
math
理科も国語も全部アートにしちゃう先生もいる
ばくはつだー!!
自由ッ…!!

芸術家《げいじゅつか》のゴッホが好きすぎて
ゴッホの話ばかりする小学校の先生もいました
ペラペラペーラ
ペラペラペラペラ
GOGH

学校のルールとは

かほせいの学校は
ガムが禁止《きんし》!!
ブーー!!
だけど…
オレはガムが好きだ!!
先生
だからオレのクラスだけガムOKだぜ!
ぷく――
…
ぷく――
学校のルールとは…!?

その先生にはほかの先生や校長先生が来たときは
ガムをくちゃくちゃかむのをやめるように言われてました(笑)
じろりんちょ
すっ…

どんなに寒くても

カナダの冬は
日が出ている時間がとにかく短い
すん…
えっ
15:30
子どもたちは太陽の紫外線《しがいせん》を浴びて
ビタミンDを作ることが大切とされている
ペカー!!
D
D
D
ぽかぽか
だから学校の休み時間は
必ず外に出る
ぱあああああ
たとえ気温が
マイナス18℃でも…
ブルブルブル

マイナス20℃以下になったら
ようやく教室で休み時間を過《す》ごせます
ほっ
ぬくぬくぬく

イベント大好き

カナダの学校はイベント大好き
ハロウィンは仮装《かそう》して登校
ワイワイ
パジャマデーは
パジャマで登校
ギョ
ワイワイ
ワイワイ
そしてもっともかわいいのは…
クレイジーヘアーデー!!
?
?
小学生のころの2人**かわいすぎた**

ほかにもクリスマスのダサいセーターを着ていく日
アグリーセーターデーがあります
え…
ちょ…コレ…
ダサッ

MAMA COMMENT

かほせいが小さかったころは、2人ともルンルンでイベントに参加してたけど、今では「恥《は》ずかしいからやめて」と普《ふ》段《だん》着《ぎ》のまま学校に行っちゃう。成長を感じるけど、イベント好きのママとしてはちょっと寂《さび》しいです。

部活動

日本の中学生といえば「部活」で忙しいイメージですが
部活？ないよー
かほせいの学校は季節ごとの「クラブ活動」のみ！
スポーツのクラブは
サッカー
バドミントン
バレー
クロスカントリー
バスケ
季節で種目が変わる
文化系だと
ロボティック
ビーズ手芸
アート
ボードゲーム
こんな感じ
先生が指導《しどう》！というよりも高学年が低学年を指導することが多くて
えーっとこれはねぇ…
けっこう大変です

かほは高学年になって全部のクラブに参加しようとがんばり中
すべてに参加すると卒業式で表彰《ひょうしょう》されるかもしれないんです！

修学旅行《しゅうがくりょこう》

かほせいの通う学校には
えっ!
日本はお泊まりもするの!?
楽しそうだね
修学旅行がありません

学校の先生がクラス単位で日帰り旅行を企画《きかく》することはあるので
クラスでボウリングと野球観戦に行ったよ!

13才になった今年はクラスでナイアガラの滝《たき》を見に行く予定!
ドドドドドドド
ワイ
ワイ

子どもたちだけで外を出歩くこと自体めずらしいのがカナダあるある
次どこ行く?
あっちは?
日帰りでもすごく新鮮《しんせん》!

「おやつは500円まで」というルールもない
使うお金は各自の自由!
ばーん
「あなたのお金はあなたのお金」という感覚みたい

PAPA COMMENT

州によっては13才になるまで「親のいないところでの子どもだけの単独《たんどく》行動」は禁止《きんし》されています。13才の日帰り旅行で友達とおでかけできるだけでも、十分特別な体験になるようです。

友達と遊ぶには

かほせいは学校のお友達と遊ぶのもひと苦労
だってカナダは広いから
友達の家に行きたい！
パパが車で送り迎《むか》え確定《かくてい》
モールに遊びに行きたい！
ママが車で送り迎え確定
親同士で連絡《れんらく》を取り合って初めて遊べる
子ども単独《たんどく》の自由は少ない環境《かんきょう》です

最近はオンラインで友達と遊ぶことも増《ふ》えました

送り迎えがない分自由に友達とやりとりができるようです

聞いてよ今日学校でさ～

移民《いみん》の親子あるある

送り迎《むか》えのとき
かほせいの友達の
親子に会うと
ぱったり
親子同士《どうし》は
出身国の言語で会話
しているが
अच्छा
अच्छा
子ども同士は
英語で会話している
Hi.
Hi!
親たちも
(時にカタコトの)
英語で会話
さ、さんきゅー
ノ…
ノープロブレム
ははははは
移民の多いカナダは
英語が共通言語です

親よりも子どものほうが
英語がペラペラで
「親は英語がヘタ」と
子どもに認定《にんてい》される…
ママ その
「guitar」の発音
ヘンだよ
えっ
変だった？
これが
移民ファミリーあるある
かもしれません

コラム

英語と日本語

かほせいの英語と日本語事情について、
パパとママの考えを聞きました！

ふだん日本語を使う機会は

PAPA

うちの場合、家での会話は日本語。今は現地《げんち》の学校にくわえて日本語学校にも通ってるけど…。

MAMA

そろそろ日本語学校は卒業かな…って話してるんだよね。

PAPA

学年が上がるにつれて忙《いそが》しくなって両立が大変になってきて、本人たちの自由な時間が減《へ》っちゃうので…。時間は有限《ゆうげん》だから考え中です。

これからは英語に集中？

PAPA

バイリンガルになるのってすごく大変。言語はそんなに単純《たんじゅん》で簡単《かんたん》じゃないから。理想は日本語も英語も完璧《かんぺき》に…っていうのが本音だけど、無理してどちらも中途半端《ちゅうとはんぱ》になったら困《こま》る。

MAMA

選べと言われたら、カナダで生活する限《かぎ》りは「英語」かなって。この優先順位《ゆうせんじゅんい》の話はカナダに住んで3年ぐらいの時点でしてたね。

かほせいの日本語力への希望は？

PAPA

…とはいえ、日本の漫画《まんが》は読めてほしいんだよね…。

MAMA

漫画か～（笑）。

PAPA

日本の漫画は本当にすばらしいから、日本語で読めてほしい。英語だとニュアンスが伝わらないからね。漫画はいくらでも名作が出てくるし、日本語で楽しめるレベルをキープしてほしいなあ。

MAMA

かほも『進撃《しんげき》の巨人《きょじん》』でいつのまにか難《むずか》しい言葉、覚えてたしね（笑）。

CHAPTER 3

パパママの出会いとかほせい誕《たん》生《じょう》ヒストリー

時をさかのぼること15年以上！
そもそもパパとママはどうして出会ったの!?
かほせいファミリー誕生の
ヒストリーを公開しちゃいます。

出会い

2人の出会いは24才
新入社員研修《けんしゅう》だった
海外にあこがれる熱血系《ねっけつけい》のパパ
陽キャ・アメリカ留学《りゅうがく》帰りのママ
同期のうちの1人
お互《たが》いに一切興味《きょうみ》ナシ

※パパは大学院卒、ママはアメリカの大学を出て働いてから入社しました

研修《けんしゅう》

2人が入社したのは外資系《がいしけい》ITコンサル会社
どーーん
旅券
PASSPORT
入社後3年以内に海外研修へ必ず行く
研修は毎月開催《かいさい》されていて
参加するタイミングは自由
う〜〜ん
研修当日の
空港
あ
あ
同期の…だれだっけ?
ああ…
お酒が入ると熱血系になる同期だ

接近《せっきん》

3年間で1度だけ行く研修《けんしゅう》
ゴォオオオ
出会う確率《かくりつ》にして36分の1
出身どこ？
福岡
いいとこじゃん おれ福島
はは 2人とも「福」がつくね
う～ん ここのおいしいけど
私《わたし》激辛《げきから》が好きなんだよね
あ！それわかるかも
せっかくのエスニックなのに
もっとパンチほしいよな
え…私たちもしかして…
運命!?

どっちが先に好きになったかでモメるパパとママ
↓
惚《ほ》れたのはパパだって
いーやママだから
なあかほ？
絶対《ぜったい》パパでしょ

お付き合い

激務《げきむ》の中デートは23時から朝3時
コケコー!
ベロ
ベロ
…からの8時出社
キリッ
…なんて続くはずはなくこのままじゃ死ぬ…
ぐた〜
ねぇ一緒《いっしょ》に住もう
はあ!?
私《わたし》結婚《けっこん》する人としか一緒に住まないから
ふふ…この強めのカードでいったんよ〜く考え…
バッ
結婚?するする
だから一緒に住もう
軽ッ

プロポーズ

ねぇねぇ私たち
結婚するんだよね?
すりすり
ん?そうだけど
もじもじ…
え〜〜〜
でもさぁ
プロポーズしてもらってないなぁ
プロポーズとかいる?
うん♡ロマンチックなプロポ
じゃあ
結婚してください!!
ニコー
もく
もく
ゴミ焼却炉《しょうきゃくろ》の前

金銭感覚《きんせんかんかく》

結婚準備《けっこんじゅんび》にて
今日は指輪を買いに行こう
結婚指輪はセール品でゲット!!
SALE
どうせ同じなら安いほうがいいよね!
キラキラ
挙式のお日にちやはり「大安《たいあん》」がよろしいですよね?
「仏滅《ぶつめつ》」でしたらかなりお得《とく》になるのですが…
仏滅《ぶつめつ》で
ケチな方向で金銭感覚、一致《いっち》した

2人ともミーハーだったので

▲実際の写真

都会のモダンな感じのホテルの教会&会場が気に入って式場を決めました

イタリア旅行計画で

結婚《けっこん》して3年が経《た》ち
イタリア旅行を計画
ITALY
もしさイタリアで妊娠《にんしん》したら
子どもの名前は「ローマ」か「ミラノ」にしようぜ
プ
なにそれ〜
ははははは
と話していたら
ITALY
イタリア出発の直前に
ドドドドドド
赤ちゃん降臨《こうりん》
うれしい!!
グラッチェエエエエ
くわっ
でもキャンセル料もったいない…でもうれしい〜!!

もしイタリアで赤ちゃんができてたら
ローマくん↓
ミラノちゃん↓
どーーーん!!
ローマ
ミラノ
になってたかも

診断《しんだん》

あれれ〜 2つあるかも
え？
うん… やっぱり2つありますね
？ 何が2つあるんです？
2つあるのはね
たーまーご
え？ たま…ふた…
双子《ふたご》だと知り仰天《ぎょうてん》した

将来《しょうらい》男女2人育てたいと話してたから
本当〜にうれしかった
神様ありがとう

MAMA COMMENT

結婚《けっこん》して3年、ずっと待ち望んでいた赤ちゃんだったので一度に2人もやってきてくれたとわかったときは、言葉にならないほどうれしかったです…。

おなかの中

じゃあ エコーしますね
はーい
今日も ママの おなかの 真ん中で
優雅《ゆうが》にのんびり している かほ
せいは いつも通り
あばらの すみっこで…
あれ…？
せい君、足しか ありません…
上半身は⁉
かくれんぼのプロ せい

〈一般的《いっぱんてき》な双子《ふたご》の並《なら》び方〉

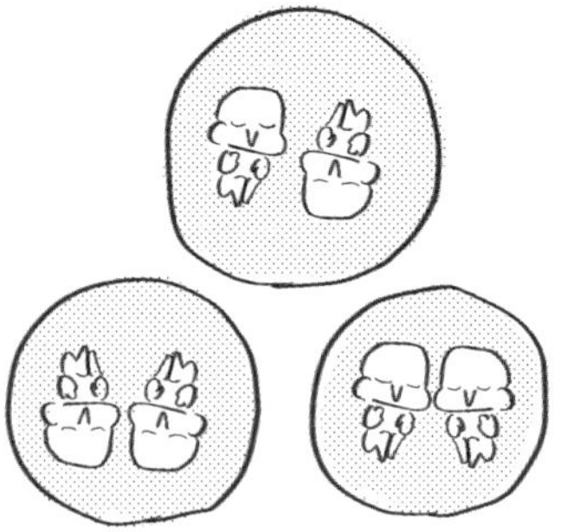

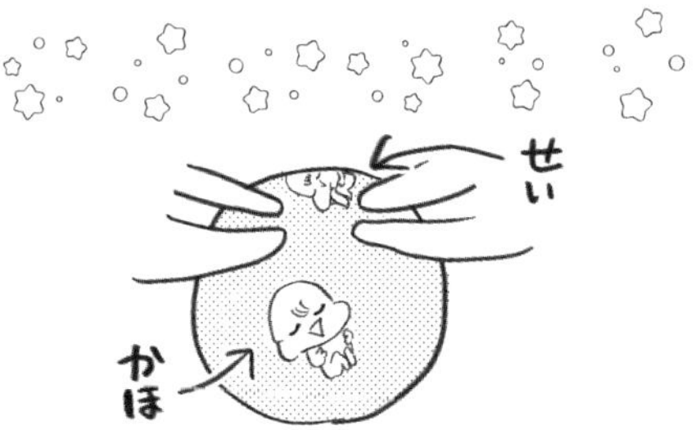
せい
かほ

かほが真ん中に
いたためか
せいはいつも
あばらのすみっこで
上半身が
よく見えなかった

MAMA COMMENT

一般的な双子の並び方とちがって、せいはいつもおなかのすみっこにいました。このとき診察《しんさつ》してくれた先生はいつもとちがう先生だったから、せいの身体が見えなくて、あわてさせちゃいました（笑）。

かほせい誕生《たんじょう》！

手術《しゅじゅつ》がはじまる前に陣痛《じんつう》がスタートしてしまい
がんばれー!!
手術までの6時間痛《いた》みに耐《た》えた
※36週になる0時まで手術を待った…
MOMENTS LATER...
ぱあああああああ
元気な双子《ふたご》ですよー!!
切られたところ…痛《いた》い――
でも双子かわいい〰〰!
2度の激痛《げきつう》に苦しんだ出産だった

ママの陣痛が始まったころ
ズルルルルルルル
パパはラーメンを食べ始めたところだった
陣痛です！今日の0時に緊急帝王切開《きんきゅうていおうせっかい》します!!
なにィィ

パパの対面

一方パパは
生まれましたよー！
カートで運ばれた
かほせいと対面
かほ
2人とも
信じられないくらい小さかった…
生まれてきてくれてありがとう…
パパ、号泣《ごうきゅう》したらしい
ぶわっ

感動と感謝《かんしゃ》で号泣しちゃったよ〜
とパパは言っていたけれど
泣いてるパパ見たことない…
あやしい…本当か？
ママは見ていないのでちょっと疑《うたが》っている

双子《ふたご》の育児

かほせいは小さく生まれてきたため
ちょん
おっぱいが直接《ちょくせつ》飲めなかった
搾乳《さくにゅう》
飲む
搾乳
飲む
くりかえし。
寝《ね》る時間なし
記憶《きおく》もなし
どーーーん!!
無限《むげん》ドリンクバー

かわいい双子

双子育児はとっても大変
だけど…
ベビーカーに並《なら》べて
プリティィイイイ
イイイイイ
かわいさ倍増《ばいぞう》
おそろで
キャピ
キャピ
さらに倍増
KAHO
SEI
もうメロメロ
ぎゅっ

赤ちゃんかほ

かほは
だっこしないと寝《ね》なかった
トン
トン
うと うと…
ようやくベッドに寝かせても
そのまま そのまま…
スヤァ
そ〜
ぱっちり
置いたら起きる背中《せなか》スイッチで
フギャーー!!
休む
ヒマなし
カチッ

赤ちゃんせい

せいはよくミルクを吐《は》くので
どばっ
あだ名はげぼ王子と命名
飲むのが苦手で30分はかかる
お願いだから吐かないで…!!
ウプッ
げぼ王子の
ああ…
またやり直し…
下僕《げぼく》として過《す》ごした

限界《げんかい》

パパは
このころ
多忙《たぼう》を極《きわ》めた
ガチャ
ただいま…
食事もせず
帰宅《きたく》は夜中の
3時…
ママもワンオペ
双子育児で
フギャアアアア
おかえり…
極限状態《きょくげんじょうたい》の
日々
お互《たが》いに本当は
助け合いたくて
必死にガマン
してたけど…
あるとき ついに大ゲンカ
ピーッ
ピーッ
2人とも
限界《げんかい》だった

その後
仲直りをして
悩《なや》んだ末
パパは比較的《ひかくてき》
残業の少ない会社へ
転職《てんしょく》をしました

コラム

大ゲンカ事《じ》件《けん》

漫画に登場した大ゲンカについて、くわしく聞きました！

大ゲンカのきっかけ

MAMA 当時は自分が家事も育児もやりたくて、全部1人でやろうとしてたんだよね。

PAPA しかも、僕《ぼく》の仕事が忙《いそが》しくて3時に帰ってても、ご飯作って待ってたり…。でも、そんな生活、続くわけないじゃないですか。

MAMA いくら頑張《がんば》っても終わらなくて…混乱状態《こんらんじょうたい》だった。で、そんなときに共通の友達が遊びに来て、私が久々《ひさびさ》にお酒を飲んだんだよね…。

PAPA 妊娠《にんしん》してから飲んでなかったし、3年ぶりとかだったよね。

MAMA そしたら日頃の不満が全部出てきちゃった。しかも、パパは人前でそういう姿《すがた》を見せるのが嫌《きら》いな人だから、パパもプッツン切れちゃった。

PAPA あれは大惨事《だいさんじ》だった…。気づいたらシャンパングラスが5本くらい割《わ》れてた。

MAMA 投げたわけじゃなくて、ケンカしながら片付《かたづ》けてたら、ツルンツルン！パリンパリン！ってね（苦笑）。

仲直りは？

PAPA 翌日、2人で掃除《そうじ》をしながら冷静になって話したね。「お互《たが》いここが悪かった」って。

MAMA 今も、お互いがまんせず何か思ったら1時間以内に言うようにしてるね。

PAPA 時間がもったいないし、精《せい》神衛生上《しんえいせいじょう》よくないしね。…で、何か変えないと変わらないし、後日「僕が転職《てんしょく》しよう」と自分で決めました。

MAMA 決めて帰ってきたよね。

PAPA ……でもまぁ、弱ってるときにお酒の飲み過《す》ぎはだめよ。

MAMA ごめんなさい（笑）。

CHAPTER 4

パパの野望

かわいいかほ＆せいも生まれ、
転職《てんしょく》もして日本での暮《く》らしも
落ち着いてきたかに見えたかほせいファミリー。
しかしこの時、パパの頭の中では
「ある野望」が渦《うず》巻《ま》いていました…！

パパの異変《いへん》

大変だった育児も徐々《じょじょ》に落ち着き
おいしー♡
平穏《へいおん》な日々が戻《もど》り始めた
すやすや
しかし──
そわそわ
?
……
……
ぼー…
ちょっと!
浮気《うわき》? 隠《かく》し事《ごと》?
パパの様子がおかしくなった

パパの告白

ねえ どうしたの? 何があったの?
いや……
ゴクリ…
じ… 実は…
もじもじ
じ…自費《じひ》で海外留学《りゅうがく》がしたい…
このまま待ってても海外には行けないから…その…
か…
海外?

パパの夢《ゆめ》

ゴゴゴゴゴ
そう…パパにはデカい夢があった
それは
海外で
働くこと
バァアアアアン
転職先《てんしょくさき》にも外資系《がいしけい》を選び
Oh, great!
I can speak English!
海外勤務《きんむ》をずっと希望していた
I would like to …
しかし
キミの勤務地は日本だ
夢が叶《かな》わずにいたのだった
ガーン!!

なぜそんなに海外で働きたかったの？と聞いてみたら
海外に住めば大好きな海外サッカーをいつでも観《み》られると思ってたなあ
サッカー不毛のカナダの地に来ちゃったけど
ニコォ
だそうです

PAPA COMMENT

若いころからずっと海外での生活に漠然《ばくぜん》とあこがれていたものの、長《ちょう》期《き》留学経験《りゅうがくけいけん》もないまま30代になっていました。転職先でも海外勤務は叶いそうもなく、子育ても大変で、このまま夢が叶えられないかもしれない…と焦《あせ》りを感じていたんです。でも、なかなかママに言い出すタイミングがなくて、驚《おどろ》かせてしまいました（苦笑）。

海外って…やっと育児が落ち着いてきたところなのに？

仕事は？お金はどうするの？

かほとせいの子育てはどうするの？

え…

だからまだ言いたくなかったんじゃ～ん

バカじゃないの？

完全拒否

MAMA COMMENT

まったく想像もしていなかったパパの意見に驚きが大きくて、絶句…でした。とりあえず、仕事を辞めての自費留学なので金銭面で到底無理だろうとしか思えませんでした。

決断《けつだん》

海外留学《りゅうがく》はありえないと全否定《ぜんひてい》したものの
調べてみるとカナダなら案外メリットが多いと気づく
カタカタカタカタ
まず
アメリカやヨーロッパより留学費《りゅうがくひ》が安い
卒業後 最大3年間ビザが出るため※
海外で働ける可能性《かのうせい》も高い
フフフ
査証
3年!!!
運がよければ
永住権《えいじゅうけん》もゲット! 社会保障《ほしょう》も受けられて安心して暮《く》らせる
ウオオオオオオ
なにより英語圏《えいごけん》なので
英語教育にとてもよい
Hello!
1週間後
バンッ
行くわよ カナダッ!!
YEEEE
EEAH!!!!!
何があったんや…

※パパの場合です。

節約《せつやく》生活

自費留学《じひりゅうがく》のため
インッ
とにかく節約！
おさいふ
せまい部屋に
お引《ひ》っ越《こ》し
ドドドドドド
ちゃぶ台と
……
ふとん3枚《まい》生活
からの
インド留学してると錯覚《さっかく》するほど
パパは毎日激安《げきやす》レトルトカレー
ヌウママステェェ
爆安 BOMカレー 100えん

MAMA COMMENT

まずは固定費を減《へ》らそうと、都会の2LDKのマンションから、1DKのせまいマンションへ引っ越しました。確実《かくじつ》に安く入園できる子ども園を探し、その学区にねらいを定めて引っ越すことにもこだわりました。パパのランチは毎日100円くらいのカレー。ママはパートで再び働き始めて貯金にはげみました。

パパの勉強場所

PAPA COMMENT

当時通っていたのは秋葉原の●クドナルド。カードゲームで盛り上がる若者にまぎれて毎日3時間勉強。家に帰ると子どもたちの寝《ね》る暗い部屋で静かに動く生活は1年半続きました。

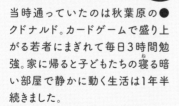

留学資金《りゅうがくしきん》

節約生活でなんとか貯《た》めた留学資金
虎馬銀行
それでもお金がたりない…
もう…無理かも…
フル
フル
お金がほしいです
あきらめたら終了《しゅうりょう》ですよ
泣きたいのは節約にはげんだママのほうだよ…
我々《われわれ》が若《わか》かりしころに勢《いきお》いで買った
ズズズ
マンションを売ろう！
508
ズズズズ
無事に売却《ばいきゃく》
ドン
10000
留学資金確保《かくほ》、成功《せいこう》！（買ったときよりも高く売れた！）

MAMA COMMENT

実は結婚《けっこん》したばかりの若いとき「どうせ一緒《いっしょ》に住むならマンション買っちゃおう」と、将来的に転売もしくは貸し出せる小さめの投資《とうし》向き物件《ぶっけん》を購入《こうにゅう》していました。パパのお父さんには『家は一生に一度の大きな買い物だ』と慎重《しんちょう》になるよう注意されながらもノリで購入した物件…。これが留学資金の大きな助けになりました。若いころの自分たちをほめたい！

タイムリミット

カナダへ留学《りゅうがく》するには
IELTS合格点
GMAT合格点
面接合格
書類審査合格！
4つのクリアが必要！
GMATは年に5回までの受験チャンス
合格点《ごうかくてん》未満《みまん》？出願できません
ずるずると受験をくりかえすとお金も時間も奪《うば》われることになる
なんだとー!!!
パパ 卒業して海外で就職《しゅうしょく》したいなら
35才がタイムリミットだよ！
MAMA DATA
↑この年齢までに合格しなかったらあきらめると夫婦で決めた
俺《おれ》にはもう…
くわっ
オッサン魂
逃げちゃ負けだ
逃げちゃ負けだ
逃げちゃ負けだ
時間がない!!

スピーキングの練習

英語を話す機会が少ないのが悩《なや》みで…
よしじゃあ家の会話も英語にしてみよう！
?
1日目
Let's eat!
（食べましょう）
さ…
Thank you…
（ありがとう）
2日目
What time are you coming back from work?（何時に帰る？）
あ…I'll be home by 10 p.m.!
（10時までには帰るよ）
しーゅー…！
3日目
あかん！はずかしすぎる
? ?
なぜかとてつもなく恥《は》ずかしすぎて断念《だんねん》

ラストスパート

結局スピーキングは
オンライン英会話を受講《じゅこう》
Please call me Jack.
エッセイはママの友人である
ケビンさんに添削《てんさく》してもらった
テストまで
来る日も来る日も
パパは仕事と受験勉強を続けた

ママとかほせいが気を付けたのは
「とにかくパパの勉強の邪魔《じゃま》をしないこと」でした
（逆にいうとワンオペ育児をがんばった！）
よし！面接いってきます!!

PAPA COMMENT

残業が少ない会社に転職《てんしょく》していたものの、勉強と仕事の両立は大変でした。でも「35才までに行けないなら行くべきじゃない」というママの言葉が心に残っていたので、とにかく必死でした。面接《めんせつ》の試験はオンラインだったので、ビジネスホテルを借りて受験をしたのもいい思い出です。

結果

パパは努力の甲斐《かい》あって
やったー
無事に合格《ごうかく》ライン以上の点数を獲得《かくとく》!
し…しぬ…
ついに念願の
ズバッ
願書を大学に提出《ていしゅつ》!
留学させて下さい。お願いします ×5000回 m(_ _)m
あとは待つだけ!
神様〜仏様〜
したらば
パパ
合格《ごうかく》!!

カナダ行きに向けてお金が使えないのでお祝いは公園でピクニックをしてお酒(スト●ングゼロ)を飲みました

PAPA COMMENT

家族に迷惑《めいわく》をかけていたし、精神《せいしん》的に追い込まれていたので合格が決まった時は心底ほっとしました。パパの実家に報告《ほうこく》すると「本当に行くの!? 大丈夫《だいじょうぶ》!?」と心配され、ママの実家からは「いいじゃん! おもしろそうだし行ってきな!」という反《はん》応《のう》が返ってきました。

留学先《りゅうがくさき》

パパのすごいところは受かった大学
どーーん
UNIVERSITY
ランク的にも申し分ないのだけれど何よりも…
学費が
比較的《ひかくてき》
安い
くわっ
さすがパパ！家族を想う気持ちが
ひしひしと伝わってくる
へへへ
でもねカナダの真ん中だから
冬場
超《ちょう》・寒いんだ!!

PAPA COMMENT

カナダの大学院への入学は9月ですが、合格は5月に決まり、出発したのは7月。会社にはすぐに報告して、退職《たいしょく》の準備《じゅんび》を進めました。学生ビザの手続きや、かほせいのパスポートの申請《しんせい》などなど、出発までは本当に慌《あわ》ただしかったです…。

コラム

移住《いじゅう》の手続き

移住に向けた細かい手続きでの
苦労話を聞きました！

ママの書類準備《しょるいじゅんび》

MAMA 本命の大学院の合格《ごうかく》が決まる前に、2月に第2志望《しぼう》の合格が決まって、早めに準備《じゅんび》を始めてたんだよね。

PAPA あ〜そうだったかも。

MAMA 私は子どもの手続き担当《たんとう》で。出生証明《しゅっしょうしょうめい》とかワクチン証明の翻訳《ほんやく》は、ふつうプロに依頼《いらい》するんだけど、お金がないから自力で翻訳して英語の証明書を用意した気がする。

PAPA すごいねえ。

州ごとにちがうルール

PAPA 大学院が決まる前は、州ごとの子どもの学校や保《ほ》険《けん》の制度《せいど》をかなり調べてたね。

MAMA 最終的に合格した大学院の州は、父親が学生ビザを持っていれば、子どもも無《む》条件《じょうけん》で現地《げんち》の学校に無料《むりょう》で行ける州だったから、本当によかった。

PAPA カナダは州によっては、子どもの学費《がくひ》や健康保険《けんこうほけん》も負担《ふたん》しなきゃいけないからね。

かほせいのパスポート

PAPA あと、かほせいのパスポート写真は大変《たいへん》だったね。

MAMA ちっちゃかったから、正面を向けない（笑）。

PAPA 家で撮《と》ったんだっけ。

MAMA 家では無理で、結局、有楽町のパスポートセンターで撮ったんだけど、せいの顔なんて明らかにちょっと上向いて笑っちゃってて。係の人が「あ〜、もうこれでオッケー！」って言って通してくれた（笑）。

PAPA 今見たら絶対《ぜったい》ダメじゃない？みたいな。懐《なつ》かしいな〜。

コラム

子育てのこと

子育てで大事にしていることを、
ママパパに聞きました！

どんな子になってほしい？

MAMA
強《し》いて言えば…、辛《つら》いことがあってもポジティブに受けとめられる子になってほしいなと。だから、嫌《いや》なことの後に「でもこの経験《けいけん》のおかげでこんなことも知れたよね」って声をかけてます。

パパの考えは？

PAPA
僕《ぼく》は結構《けっこう》「若いうちは失敗したほうがいい」と思ってるかな～。「あ、忘《わす》れ物してるな」って気づいても、そのまま声をかけない。

MAMA
でも私は心配性《しんぱいしょう》で世話好きだから、つい先回りして助けちゃうんだよね（苦笑）。

PAPA
案外、2人でバランスをとってるのかもしれないね。

MAMA
だって本当に放《ほう》っておくと、3か月くらい宿題やってなかったこともあったもんね！　あれはビックリした。

PAPA
あったね～。先生に言われて初めて気づいた（笑）。

MAMA
「少しずつ一緒《いっしょ》にやっていこうか」って話したね。

カナダと日本の教育のちがい

MAMA
今はパパが2人の宿題を見てくれてるけど、どう？

PAPA
カナダの学校は、概念《がいねん》を教えるのが中心。くりかえしドリルはやらない。だから日本の感覚に比《くら》べると簡《かん》単《たん》な計算に時間がかかったりして心配で。

MAMA
なぜこんなに時間が…って焦《あせ》ってたよね（笑）。

PAPA
カナダ式の教育観《きょういくかん》がようやくわかってきて、親がしっかり補強《ほきょう》もしてあげないとな～と思ってます（苦笑）。

CHAPTER 5

カナダ 移《い》住《じゅう》 チャレンジ!

まだ幼《おさな》いかほ&せいを連れて、
家族一《いっ》緒《しょ》にカナダ移住に出発!
でも、出発直後からハプニング満《まん》載《さい》です!

かなだ

カナダに行くとき
かほせいは4才になっていた
だだっ
みんなでこれからカナダに行くよ
かなだ?
?
?
そう!
外国だよ!
めずらしい動物もいっぱいいるんだよ~!
おおお~!!
よくわかっていないようだったけど
泣いたりもせず「なんか楽しそうだ」という様子の2人だった
おーかなだ!!
かなだ
かなだ

4才でよく覚えていないけど

カラオケ屋さんで友達がお別れパーティーをしてくれたことは覚えています

いってらっしゃい!!

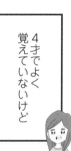

荷造《にづく》り

カナダ生活に向けて荷造《にづく》り
う〜〜〜ん
現地《げんち》で手に入らないものだけを持って行こう…
ここにしかないものを…
ばーん
和食器
アルバム
魂
服
持っていく！あとは…
家具はかさばるし
残念だけど…
すべて…処分《しょぶん》!!
これは日本ならではだし
持っていく!!

※結局1回しか出さなかった。でもいまだに持ってます。

最終的には段《だん》ボール6箱とスーツケース2つの荷物で出発しました
ゴロゴロ

いよいよカナダへ①

ついにカナダ行きの飛行機へ乗る
わーー!
15時間のフライトに備《そな》えて
かほせいにはお医者さん処方《しょほう》の子ども用睡眠薬《すいみんやく》を飲ませた
ふー いよいよ フライトだー
ね パパ…
くるっ
ドキ
ドキ
え…
めっちゃ緊張《きんちょう》してる

いよいよカナダへ②

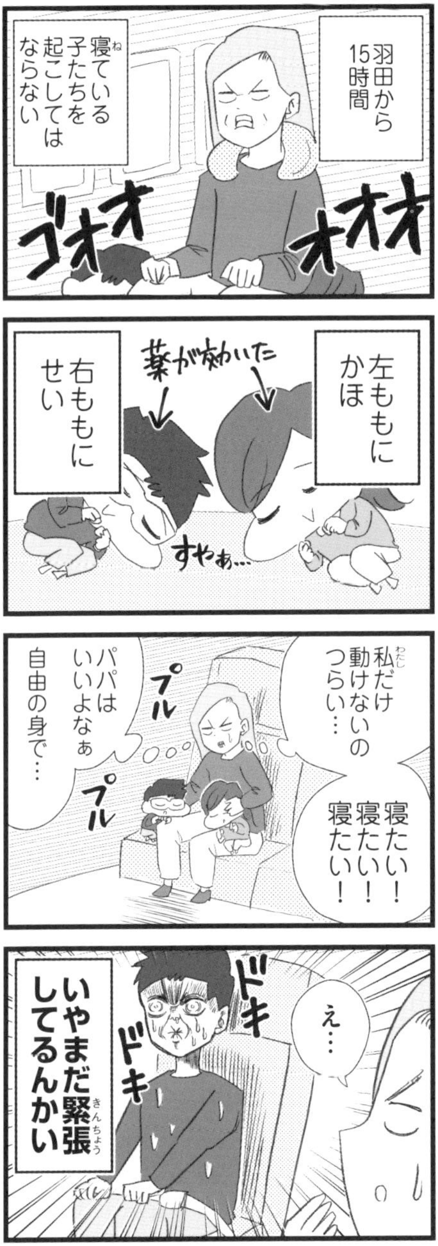
羽田から15時間
寝《ね》ている子たちを起こしてはならない
ゴオオオオオオ
左ももにかほ
右ももにせい
薬が効いた
すやぁ…
私《わたし》だけ動けないのつらい…
寝たい! 寝たい! 寝たい!
パパはいいよなぁ自由の身で…
プル
プル
ドキ
ドキ
え…
いやまだ緊張《きんちょう》してるんかい

民泊《みんぱく》のオーナーさん①

無事に
カナダ到着《とうちゃく》
ここは事前に
予約していた
激安《げきやす》民泊アパート
どーーーん
オーナーに
ごあいさつ
2週間
よろしく
お願いします
オーナーは
とてもいい
人で遊んで
くれたり
街のことも
いろいろと
教えて
くれた…
じゃあ私《わたし》は
そろそろ
休ませて
いただく
わ♡
すや
すや
え
ここで
寝《ね》るの⁉

民泊のオーナーさん②

なんと
この民泊
ウフ♡
オーナーと
シェアアパート
だったのだ‼
♡
なるほど…
激安な理由は
コレか…‼
しかしその後
なぜかオーナー
は夜になると
消えた
ポッツン。。。
もしや
私たちに
気をつかっ
て…？
翌朝
今日から
彼《かれ》ピのところ
に泊《と》まる
ことにしたの
キャピ
えー
60才
カナダの
乙女《おとめ》！

新居決定《しんきょけってい》

民泊滞在《みんぱくたいざい》からついに引《ひ》っ越《こ》し先が決定！
どーーん！
パパが大学に電車で通える街の
2ベッドルーム付の部屋にお引っ越し
♪
家具は自力で組み立てるが
説明書なんてだせぇやつが見るもんだ
おれにまかせろ！
てやんでぇ!!
パパ家具壊《こわ》してばっかり！
ボロ…
てへ…

いろんな物が目新しく
好奇心《こうきしん》が止まらないカナダ生活のスタートでした

KAHO COMMENT

このとき家具屋さんで買ってもらった「チャーリー」という犬のぬいぐるみは、今でも私《わたし》のお気に入りです。

保育

子どもを預《あず》けて働こうと考えたけど
Bye♪
たった3時間の半日保育
も…もうお迎え…!?
しかも学童を希望すると
あいあむじゃぱにーず
永住権《えいじゅうけん》がないので
1人につき月10万円
つまり2人で
ニコニコ
20万円毎月かかる
これじゃ働いてもマイナス…
しかたない…ママ働きに出るの
あきらめる!
しわっ

ママの生活

大学時代はアメリカに住んでいたママ
海外生活のコツはそれなりにわかってるつもり…!
注ママ→
衣食住
すべてを担当《たんとう》
学校のことも
ママがんばって担当
外で働けないから内勤《ないきん》もスタート!
とにかく必死の日々

パパの留学《りゅうがく》生活

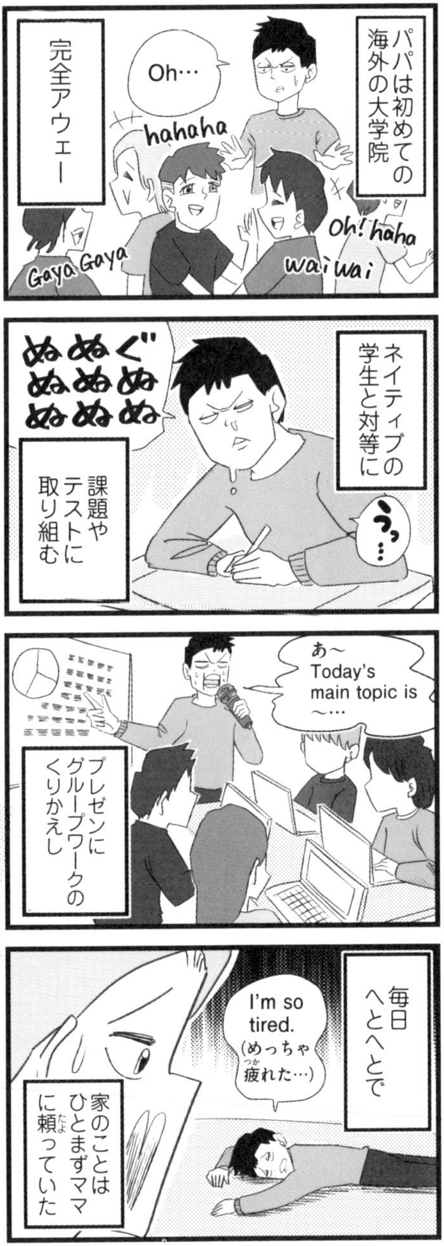
パパは初めての海外の大学院
完全アウェー
Oh…
hahaha
Oh! haha
wai wai
Gaya Gaya
ネイティブの学生と対等に
課題やテストに取り組む
ぬぬぐぬぬぬぬぬぬ
うっ…
プレゼンにグループワークのくりかえし
あ〜 Today's main topic is 〜…
毎日へとへとで
I'm so tired. (めっちゃ疲《つか》れた…)
家のことはひとまずママに頼《たよ》っていた

グループワークは油断《ゆだん》すると空気になってしまうので
かなりがんばった (でも時々空気になってしまうこともあった…)
……!

ベビーフェイス

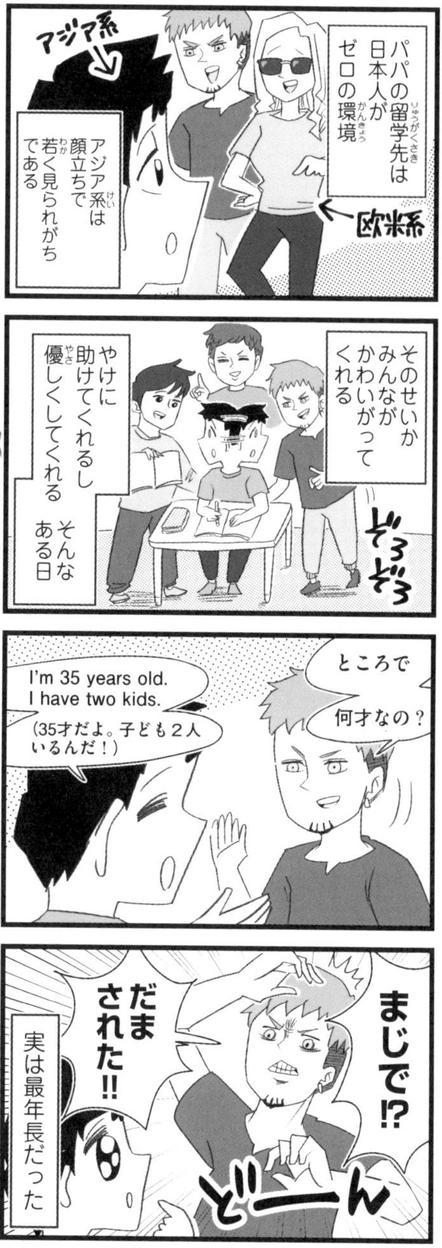
パパの留学先《りゅうがくさき》は
日本人が
ゼロの環境《かんきょう》
アジア系
欧米系
アジア系《けい》は
顔立ちで
若《わか》く見られがち
である
そのせいか
みんなが
かわいがって
くれる
やけに
助けてくれるし
優《やさ》しくしてくれる
そんな
ある日
ぞろぞろ
ところで
何才なの？
I'm 35 years old.
I have two kids.
（35才だよ。子ども２人いるんだ！）
まじで!?
だまされた!!
実は最年長だった
どーーん

とはいえ
平均年齢《へいきんねんれい》高めの
プログラムだったので
そこまで浮《う》かなかった
です
ビッ
ビッ
すごい…
みんなとにかく
手を挙げて積極的に
授業へ参加していて
とっても意欲的《いよくてき》でした

PAPA COMMENT

授業では、たとえ英語が苦手な学生でも、みんな意見や質問《しつもん》を積極的にしていました。日本人の感覚なら「こんな基本的なこと質問したら恥《は》ずかしいかな」と思いそうなことでもおかまいなし。質問や意見も授業《じゅぎょう》への貢献《こうけん》の一部、という考え方なので、先生も一生懸命《けんめい》答えてくれました。

事件《じけん》

新居《しんきょ》に引《ひ》っ越《こ》して
1週間…
キャー!! せいが…！ ママッ!!
せい大丈夫《だいじょうぶ》!?
ビェエエエエ
どぱっ
せいが転んで頭から出血！
引っ越したばかりで車もない
病院も知らない
まさに大ピンチ
あわわわわわわわ
そうだ！オレの大学の友達に連絡《れんらく》してみよう医学部のやつがいるんだ！
パパの友人に連絡!!
つづく

ママの常備《じょうび》していたキズパ●ーパッドで
とりあえず止血した（ママのお気に入り）
ズギュウウウン
キズパワー
ドドドドド

救世主《きゅうせいしゅ》

パパの大学院の友人はすぐ駆《か》けつけてくれた
急いで病院に行こう！
救急《きゅうきゅう》で3時間
チクタク…
チクタク…
そわ
そわ
友人は一緒《いっしょ》に待ってくれた
※ママとかほは家で留守番していました
もう大丈夫《だいじょうぶ》です
ほっ
よかったね
せい！
カナダ人優《やさ》しい…！

パパの友人は医学部で勉強しながら
ダブルメジャーでMBA※取得もめざしているスーパーボーイでした
※経営学の大学院修士課程のこと。ちなみにパパもMBA留学でした。
パパ自慢《じまん》の…
友人っ！
ドドドドドドド

カナダの物価《ぶっか》

♪
カナダのスーパーでお買い物♪
トイレットペーパー12ロール1000円…
トイレットペーパー
$9.99
ちっちゃいアイスが700円…!
アイス
$6.99
高い…
高すぎる!!
BEER
$3.50
お酒ないと死ぬ種族
パパのビール禁止《きんし》!!
物価高すぎ問題発生
ガーン

節約生活、再《ふたた》び…

カナダに来ても
とにかくお金がない…!!
スカ
スカ
毎日スーパーへ行くと出費《しゅっぴ》が増《ふ》えるので
買い物は2週間に1度に
ZIP!
買ったものはすぐに冷凍《れいとう》して
少しずつ食べる節約生活
それでも家族で過《す》ごす日々は
幸せだった

キンダーガーテン

小学校の進級
1年前は
キンダーガーテン※
へ通うのが
カナダ流
ワイ
ワイ
ワイ
でも2人とも
まったく英語が
話せなかった
ので
ちょこん
助け合えるよう
に同じクラスに
してもらった
双子なので 小さめ
きっと
しっかり
者の
かほが
せいを
ひっぱって
くれるはず
なんて
思って
いたら
思いのほか
せいが
ムード
メーカーに…
ありがとね
せい♡
ひとみしり

※イメージは幼稚園の年長さん。小学校の中にある。

少しずつ

はじめの
うちは
人見知り
だった
かほも
少しずつ
慣《な》れて
♪
本領発揮《ほんりょうはっき》
Let's
play!
（あそぼう！）
英語に苦戦
しつつも
なじめてきた
たたたっ
Ha
ha
ha!
かほ
スゴイなぁ…

進級
もうすぐ小学校へ進級の時期
なかなか英語についていけないせい
pigeon
giraffe
rhino-ceros
あわわ
どうしたらいいでしょう先生
大丈夫！もう1年キンダーにいればいいのよ！
え…
自信がないまま前に進むより
自信を持って着実に成長するほうがせいくんに合ってるはず
カナダのびのび
こうしてせいはもう1年キンダーへ
子どもによりそった環境《かんきょう》はせいにぴったりだった

小学校への進級を機に
かほとせいはそれぞれの道へ

MAMA COMMENT

せいがその後、自信を持って自分を表現《ひょうげん》できるようになったのは、このときに無理をしなかったおかげかもしれません。カナダの学校は年齢《ねんれい》によって厳密《げんみつ》にクラス分けされていないですし、このおおらかでカナダらしい判断《はんだん》が正解《せいかい》だったのだろうと思っています。

CHAPTER 6

ママ、YouTubeをはじめる

カナダ移《い》住《じゅう》後、YouTubeを
スタートしたかほせいファミリー。
一体どんなきっかけで、どうやって
YouTubeをスタートしたのか…
その歴史をひもときます！

減《へ》り続ける貯金《ちょきん》

パパの留学期間《りゅうがくきかん》はとにかく
貯金を切り崩《くず》していくばかり
わが家の収入源《しゅうにゅうげん》は
ドドドドド
ママがやっていたデータ入力の内職《ないしょく》バイト代だけ
朝から夜まで10時間パソコンと向き合っても
シュー
やっと1000データ入力…
1万円以下の収入
やばいな…
がんばりとお給料が見合ってない！
ゴゴゴゴゴゴゴ…

今でもこの当時の日々を思い出すと
ちょっぴり胸《むね》が苦しくなります…
ふる
ふる

MAMA COMMENT

当時はとにかく貯金を切り崩すばかりの生活で、不安な気持ちでいっぱいでした。データ入力のバイトはどんなにがんばっても限度《げんど》があるし、節約をしても、カナダの物価《ぶっか》の高さにはかなわない。この先やっていけるのだろうかと悩《なや》む日も多かったです。

きっかけ

ブルン
ブルルン
ロッハーユーチューブ！
せいはYouTubeが好きね
ブルルルルン
ママかほもゆーちゅーぶやってみたい
おもちゃいっぱい買ってもらえるんでしょ？
ははは あれは
お仕事でやってるんだよ
じゃあかほもおしごとする
ぱぁああああ
まじか…でもYouTubeも
仕事ではあるのか…

リサーチ

というわけでYouTuberの仕事をさっそくリサーチ
ズズ
ズズズ
当時 某《ぼう》家族系YouTuberさんが大人気だった
推定年収〇千万円!!
おかし動画で年収《ねんしゅう》●千万円!?
自分はパソコンも得意《とくい》なほうだし…
日本でも友だちのPCの相談にのってたママ
直ったよ!!
ありがとう助かるー
もしかしたら…もしかして…できるかも…
何よりYouTubeには
どーーん!!
夢《ゆめ》がある!!

気がかり

よし！じゃあかほとせいとママ
3人でYouTubeやってみるか！
ぶんっ
子どもを学童に預《あず》ける必要もないし
わーい
わーい
データ入力より夢《ゆめ》はある…
気がかりは…
高額《こうがく》なビデオカメラ…
それに何より…
子どもたちの顔がネット上に出ることは
ぱあああ
心配だな…
う〜ん
悩《なや》む。

顔出しOKかはパパにも相談しました
海外生活を発信してみようと思ってて…
そうか…

PAPA COMMENT

ママの真剣《しんけん》な様子から本気さが伝わってきたので、顔出しについては悩んだ末、OKしました。

意を決して

ネットへの顔出しに抵抗《ていこう》があるし
うむむむ…
ビデオカメラも高価《こうか》でかなり悩《なや》んだ
でも内職《ないしょく》のデータ入力に夢《ゆめ》を見いだせずにいたし
あとは吹《ふ》っ切れるだけ
意を決して家族4人で
バリッ
電気屋さんのカメラコーナーへ
わー
わー
当時の私《わたし》たちには大金である380ドルのビデオカメラを手にした
ゴクリっ
高い…でも買う！

MAMA COMMENT

初代のカメラは、当時の380ドルのカメラということもあって、画質《がしつ》&音質《おんしつ》がかなり悪かったです。YouTubeから入金が始まって早い段階《だんかい》で2代目に買い替《か》え。画質&音質はとても大事なので、まだそんなに収入《しゅうにゅう》はなかったけれど、初期投資《とうし》として惜《お》しまずいい物に買い替えました。

今使ってるカメラは実は2代目と同じものです。使い倒《たお》して壊《こわ》れたため同じカメラに買い替えて使用しています。サイズや映像《えいぞう》の色感が気に入っているので、結局リピートしています。もっと大きいカメラにすれば画質は上がるとはわかっているものの、ママの手は小さいし、身体への負担《ふたん》も考えて大きいカメラは避《さ》けています。

ついつい、新しい話題のカメラが出るとすぐ浮気《うわき》していろんなカメラを買ってしまいますが、結局2代目と同じものに戻《もど》っています。最近は、コンパクトカメラも買いました。今のはコンパクトでも画質がよくてびっくりしています。

本気
YouTubeを始める前に
やるなら本気でやるよ
と2人に宣言《せんげん》
顔出しは一度出したら
消えないので開き直ること
ズズ
ズ
ズ
ズズ
でも世間様に顔見せできないような
恥《は》ずかしいことは絶対《ぜったい》にしない
ぎゅっ…!!
胸《むね》を張《は》れる動画しか出さないと
心に決めた

こんな高いビデオカメラ買っちゃったからには
無《む》駄《だ》にしないようにがんばらなきゃ…とも思った
ギュッ
HD

初めての動画

まずはアカウント登録
チャンネル名どうしよっか…
わくわく
かほと相談してノリで決定！
うーん うーん…
かほせい…
ちゃんねる…うん！
これでいっか!!
なんとか撮影《さつえい》して…
ジー
無料ソフトで
どうにか自力で編集《へんしゅう》した
えっ…
あっ
こうか！
カタ カタ
カタ カタ カタ

今見ると編集《へんしゅう》ヘタで恥《は》ずかしいです

1ドルショップ

YouTubeを始めたものの
もちろん最初は収入《しゅうにゅう》などなくタダ働き
ジーー…
カナダの激安《げきやす》1ドルショップで
1$
うーん…コレかな…
おもしろそうなアイテムを探《さが》す
1$
今日はこのおもちゃで撮影《さつえい》するよ！
へ〜
ねえかほ見て！コレだって！
ぱあああ
かわいい〜〜！
安物でも楽しんでくれた2人は天使だった

KAHO COMMENT

1ドルショップのお菓子《かし》で、レインボーのすっぱいグミは覚えてる！自分が食べてみたかったお菓子だったから。初めての商品紹介《しょうひんしょうかい》動画だったし、楽しかった。

SEI COMMENT

1ドルショップのお菓子で覚えてるのは、長いロープみたいなマシュマロかな。

お菓《か》子《し》動画

初期の定番企画は
今日のお菓子はコレ！
カナダの変なお菓子紹介《しょうかい》動画
はじめのうちは
わー
なにコレ〜！
慣《な》れてくると
やば…
でもガマンして一応たべる
さらに慣れると
やだ！
え———…
まずい
撮影前《さつえいまえ》に抗議《こうぎ》。

現在《げんざい》は2人ともカナダのお菓子をほぼ受け付けない
NO!!
BOO
BOO
動画で変なお菓子を食べすぎたせいだと思う…

SEI COMMENT

小さいころ、キャンディー動画をよく撮影したことは今でもよく覚えてる。あれは本当にまずかった…。

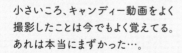

試行錯誤《しこうさくご》①

当初は
カナダにいるしカナダ紹介《しょうかい》動画がいいだろう!
とーぜんよね!!
と考えていた
しかしいくらカナダを紹介しても
ココがカナダで有名な公園よ〜!
全然見てくれる人は増《ふ》えない…
わざわざカナディアンロッキーに行っても
片道5時間!!
ばーーん!!!
全然見てもらえない
カナダ紹介ではダメなのか…?
悩《なや》んだ。

試行錯誤②

カナダ紹介がダメなら
やっぱり日本で人気の
チラっ
お菓子《かし》動画か…
ズズズ…
Gummy
COOK
と考えた
しかしお菓子動画も
ゲソオ…
また まずーいの〜?
もうイヤ…
なかなか見てもらえず…
派手《はで》なおもちゃは映《は》えるけど
高いおもちゃ買うお金もないし…
毎日続けながら
ゲソソソ
ネタがない…
行《ゆ》き詰《づ》まっていった…

過酷《かこく》なYouTubeの世界

当時
YouTubeで
頭ひとつ出るには
ぴょこ
毎日同じ時間に
1本動画を
上げることが
マストだった
ベストは
日本時間の
夕方
カナダでは
夜中の3時
これを
毎日
休日も
祝日も
お正月すら
関係ない
カタカタ
カタカタ
カタカタ
カタカタ
1日でもお休み
しようものなら
積み上げてきた
すべてが崩《くず》れる
あわわわわ
そんな思いで
必死な毎日
だった

最初の半年間は
収入《しゅうにゅう》ゼロでした
毎日アップを
心に決めていたので
ママの意志だけで
とにかく続けた6か月…
ゴシゴシ

MAMA COMMENT

当時は大変でしたが、現在《げんざい》のYouTubeはクリエイターのライフ・ワークバランスも考えて、アルゴリズムが変わってきているようです。

いとこに言われた

必死に動画を作る日々の中
いとこが日本から遊びに来てくれた
わ〜！ひさしぶり！
お〜ひさしぶ…
ぷ〜ん
!?うっ
あがってあがってお茶いれるね
あんた…臭《くさ》いよ…
ガーン
えっ
2週間おふろ入ってなかった

人生で最《もっと》も激務《げきむ》だったと思う
かほせい撮影だよ〜
タタタタタ
ばっ

MAMA COMMENT

新卒で入社した外資系《がいしけい》のITコンサルの仕事、激務だったはずだけれど、YouTubeに比《くら》べたらラクだったと思うくらい忙《いそが》しかったです。

気づいた

まったく人気が出ないまま半年が経過《けいか》
再生数《さいせい》50
やっぱそんなに甘くないかぁ
ネタも尽《つ》きかけ
人気動画をうらやましく眺《なが》めていたら
あ〜いいなぁ人気だすごいなぁ〜
これ今海外では流行《はや》ってるんだよな
WOW!!!
日本ではこういうのないけど…
このとき
ふと気づいた
あれ…
カッ
ってことは海外で人気だけど日本ではまだだれもやってない企画《きかく》
うちがいちばん初めにやればいいのでは…？
この気づきがブレイクスルーのきっかけになった
海外の人気動画で
日本でまだ流行ってないものを
ゴゴ
ママ覚醒《かくせい》
ゴゴゴゴ

なりきり動画

当時海外のYouTubeでは
有名キャラを素人《しろうと》が演じる寸劇《すんげき》が流行《はや》っていた
HAHA
HAHA
これだ！
まだ日本で誰《だれ》もやってないはず
くわっ
手作りの小道具に
壁《かべ》に布を打ちつけたグリーンスクリーン
素人感満載《まんさい》だったが…
これが記念すべき初めての
ヒット動画となった
2000
1000

初めての収入《しゅうにゅう》

YouTube歴6か月
なりきり動画がヒットして100万再生《さいせい》
おおー！
初めての収入が入った
せい！かほ！今日はごほうびを買いに行こう
じゃーん2人がいつもほしがってた
どーん
シナモンロールだよ！
今までならスイーツに8ドルなんて絶対《ぜったい》無理だったもんね
ぱぁぁぁ
2人ともがんばってくれてありがとう

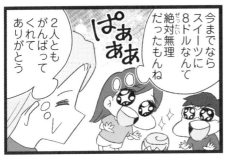

マイルール
毎日毎日
企画《きかく》
アイデア
構成《こうせい》・
準備《じゅんび》
撮影《さつえい》
編集《へんしゅう》
くりかえし
子育ても
家事も
さらには
カタカタカタカタカタカタカ
データ入力の仕事も
毎日のノルマとして
続けていた
6000円分は
稼ぐのがマイルールっっっ!!!
明け方3時に寝《ね》て
朝6時に起床《きしょう》
ぐがー
私
ショートスリーパー
だったのかも?
と思った時期でした

やめちまえ

ある夜 パパが大学から帰ると
ただい
ギィ
何ひとつ家事が終わっていなかった
おわんない
ごちゃあああ
ま…
おかえり
ごめん ごはんできてないけど
動画まだ編集《へんしゅう》終わってなくてあーヤバイな…
……
カタカタ
ブツブツ
なんだよ
編集編集ばっかり言って…

もう
YouTubeなんてやめちまえ!!
は？
やめる？
ぜったいにイヤ!!!!
続けます！
パパの一言でママの闘争心《とうそうしん》が爆発《ばくはつ》した

ゴアッ

MAMA COMMENT

「収入《しゅうにゅう》もゼロで留学中《りゅうがくちゅう》のパパに文《もん》句《く》を言われる筋合《すじあ》いはない！　勉強大変って言うけど、一人暮《ぐ》らしの学生なら自分で家事して勉強もしてるでしょ！」と主張《しゅちょう》。パパはその後、家事をするようになってくれました。

CHAPTER 7

YouTubeと仕事…パパの選《せん》択《たく》

どんどん大きくなるYouTubeの存在と、
自分の生活との間で揺《ゆ》れるパパ。
留《りゅう》学《がく》生活、大学院修了《しゅうりょう》、
引《ひ》っ越《こ》し、そして就職《しゅうしょく》——。
YouTubeとの両立は？
ママとは仲直りできるの？
パパの人生の選択をふりかえります！

がむしゃらに

ママがYouTubeに必死のころ
あいかわらずパパは留学《りゅうがく》生活に必死だった
カナダの税金《ぜいきん》の授業《じゅぎょう》かなり難しい…
ポツン…
多くの学生が脱落《だつらく》する授業を選んで苦戦したり
何度もくじけそうになりながら
もう無理！
もう無理！
夜中までレポートを書いたりする日々
でも自分で選んだ道…という思いで
がむしゃらに勉強を続けた

今ふりかえっても人生で一番勉強したのは
この大学院時代です
おー
すごいね

MAMA COMMENT

パパが苦労したと今でも話す「カナダの税金」の授業。実は今、一番役に立ってます。税理士さんと会話するとき、ママはちんぷんかんぷんなのに、パパは税理士さんに一目置かれていて対等に話せているんです。パパ、すごい！

パパの課題

大学院生活中も
長期休みは旅行へ
パパが運転で
ママは動画編集《へんしゅう》
が基本《きほん》スタイル
運転は
まかせろ！
昨日の
睡眠時間は
2時間の
ママ
カタ
カタ
カタ
カタ
ところが…
あー!!!
レポートの
提出…
明日だった
車の中で
書き
たい…
もじ
もじ
というわけで
ママが運転交代
睡魔《すいま》に
打ち勝つため
超《ちょう》・集中

ママの激《はげ》しい
ハンドルさばきで揺《ゆ》れる
パソコンの画面…
大学院時代の
なつかしい
思い出です

パパ、大学院修了《しゅうりょう》

人生で一番勉強した2年間を経《へ》て
念願の…
必勝
レポート
テスト
テスト
パパ 大学院
無事に 修了《しゅうりょう》
次なる目標は
カナダで就職《しゅうしょく》
バァァァァン
就職先と家探《いえさが》しの旅へ
ロードトリップ※スタート！
58-88
ブロロロロ…

※長い距離を自分の車で旅行すること。

何もない道を33時間自分たちの車でひたすら進む
ゲッソォ
かほせい限界《げんかい》

新たな街《まち》探《さが》し

パパの就職《しゅうしょく》活動に向けて都会で新居《しんきょ》探し中
宿泊先《しゅくはくさき》への帰り道でのこと
どーん
都会は便利そうだねー
なにこれ?
?
通れないじゃん
KEEP OUT KEE
キミたち何ボーっとしてるんだ!
犯人《はんにん》は銃《じゅう》を持ったまま潜伏《せんぷく》しているんだぞ
は⁉
銃撃《じゅうげき》事件《じけん》発生
犯《はん》人《にん》逃《とう》走《そう》中《ちゅう》だった

なんとか宿に戻《もど》ると
テレビでも現場《げんば》としてライブ中継《ちゅうけい》されていた
ドア
犯人入ってくるかも⁉
都会こわいいいいいい

MAMA COMMENT

せっかくだから都会に住むのもいいかもしれないと検討《けんとう》していたのですが、この一件《いっけん》で都会の恐《おそ》ろしさを知りました…。

新居《しんきょ》

というわけで
さすがに銃声《じゅうせい》はこわいもんね!
新居は都会から少し離《はな》れた郊外《こうがい》に決定!
撮影《さつえい》のことも考えて
どーん!!
初めての広々とした一軒家《いっけんや》
もちろんかほが歌う
いろんなものがほしいな〜かいだんがあったらいいな〜
という
超《ちょう》かわいいリクエストにも応《こた》え
ばーーん
2階建ての一軒家を選んだ

新居でうれしそうなかほせいの思い出写真

MAMA COMMENT

この家にした決め手のひとつは、階《かい》段《だん》があること。階段(つまり2階建て)はかほの強い希望だったんです。それに、Unfinished(スケルトン状態)の地下があったこともポイントでした。ここでいろいろな動画を撮《と》ったり、自転車に乗ったり、サッカーをしたりしたのはとても楽しかった…!
あと、パパが雪かきと芝刈《しばか》りを全部すると言ってたのですが…、結局、業者さんに頼《たの》んだので、パパがすることはなかったですね(笑)。
ちなみに、このときは一軒家とはいえ、賃貸《ちんたい》でした。パパの就職先《しゅうしょくさき》はまだ決まっておらず、YouTuberという不安定な収入《しゅうにゅう》の職業《しょくぎょう》なので、どうにか工面《くめん》して家賃《やちん》6か月分を最初に入金しました。

パパ、モヤモヤする

PAPA COMMENT

このころは、就職したいパパと、YouTubeを軌道《きどう》に乗せたいママとの間でちょっとすれちがっていた時期ですね…。
当時、カナダの永住権《えいじゅうけん》がほしいと考え始めていましたが、わが家の場合は永住権を取得するには「カナダでの就業経験《しゅうぎょうけいけん》」が必須《ひっす》でした。でもカナダでの就職活動は決して甘くないし、ビザが切れるまでの3年以内に就業経験を積んで永住権を手に入れるには意外と時間がない…。そうわかっているのに、YouTubeの活動が忙《いそが》しく、なかなか就職活動に専念《せんねん》できなくて焦《あせ》りが募《つの》っていました。この時期はモヤモヤ&ストレスでいっぱいでした。

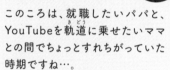

ママのぎっくり首

それから小さなケンカを積み重ねた2人に
ピイッ
事件《じけん》が起きる
今日はなんと2人で1枚のセーターを着て
親子対決〜！
ぶか
TWINS
ぶか
パパとママも一番ダサい
セーターを一緒《いっしょ》に着るよ！
超《ちょう》仲良し〜
え〜
でもよくふたりけんかしてるよ〜
う゛
それでは最後！
親子でダンス対決で〜す
TWINS
いえ〜〜〜い
ルンルン
ブンッッ
ドルン
ギッ
翌日《よくじつ》目覚めると
あわわわ
首が回らずマウスすら持てなくなっていた

パパの就職《しゅうしょく》と…

そうして約1か月
お休みをとったかほせいチャンネル
フルフルフル
この間にパパは就職活動をして
みごとカナダで就職
♪
るん
るん
どう考えても1人でYouTubeを続けるのは限界《げんかい》…
スタッフを雇《やと》わなければ…
ずーん…
でもこんな郊外《こうがい》に日本人なんていないし…
とりあえず現地《げんち》で家事のお手伝いさんを探《さが》そうかな

お手伝いさんはネットでリサーチして見つけました

初めてのスタッフ

こうして
わが家に
南アメリカ系《けい》カナダ人
パメちゃんがやってきた
パメちゃんはずっと
だれかと通話しながら仕事する
ふー
休憩
スキあらばサボる
それでもいろいろと助けてくれた

得意《とくい》料理

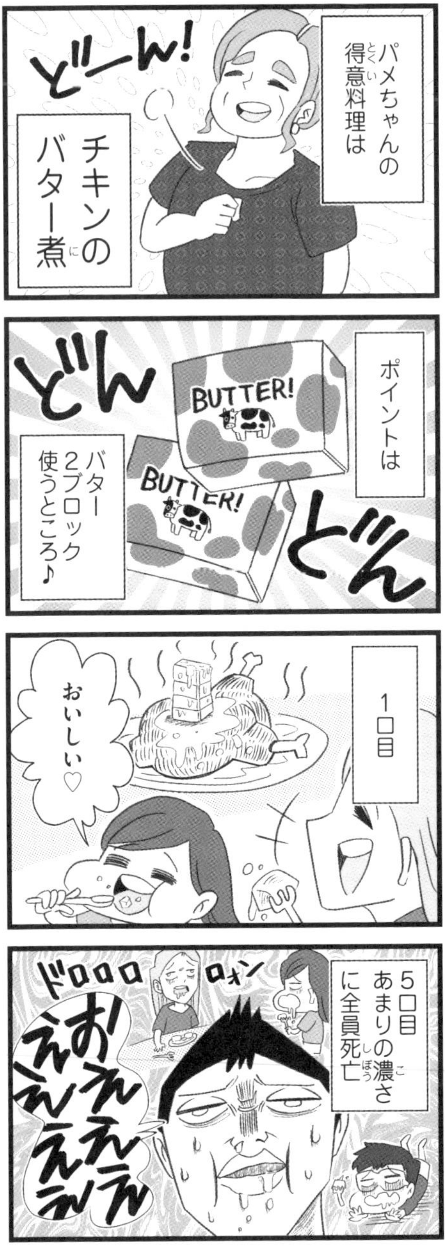
パメちゃんの得意《とくい》料理は
チキンのバター煮《に》
どーん!
ポイントは
バター2ブロック使うところ♪
どん
BUTTER!
BUTTER!
どん
1口目
おいしい♡
5口目あまりの濃《こ》さに全員死亡《しぼう》
ドロロロ
ロォン
おえええええええ

「エルサゲート」問題

このころYouTubeでは「エルサゲート」が大問題になっていた
エルサゲートとは!
パッと見は子ども向けに見えるが実は有名キャラを使って暴力《ぼうりょく》などを助長する動画のことである
このあおりを受けて
当時人気だった有名チャンネルが6つほどBAN※された
おきのどくですが このどうがは きえました
ダダーーン
きっとタイトルにキャラの名前があるだけで削除《さくじょ》されてる…
このままじゃかほせいチャンネルも…どうしよう…
ブー!!
ママの勘《かん》は正しく
なりきり動画のタイトルに有名なキャラ名が入っているだけでアウトになっていた

しかたない関連する動画200本
全部消そう!
うそでしょー!?
時間と愛情《あいじょう》を込《こ》めた動画たち
夜な夜な削除《さくじょ》する作業は本当につらかった
でも2人も成長してなりきり動画に抵抗感《ていこうかん》出てきてたし
ちょうどよかったんだよ
パパ…♡
じゃあいっそキッズ系《けい》からファミリー系に
転換《てんかん》しちゃおうよ
え!? ファミリー系!?
ぱあああ

※運営者からアカウントを使用停止されること

24時間チャレンジ

ファミリー系《けい》に変わるべく、
ネタを探《さが》すかほせいチャンネル
え…もうファミリー系確定《かくてい》??
このとき海外チャンネルで発見した
24時間耐久《たいきゅう》で何かに挑戦《ちょうせん》する「24時間チャレンジ」を取り入れていった
24HOURS
58:88
撮影《さつえい》は大変だけれど
協力してがんばろう
うん
かほせいの成長する姿も見られるこの企画《きかく》が
ギュンッ
のびた!!
ピコン
100万再生
うひょー

二足のわらじ

ファミリー系に移行《いこう》したかほせいチャンネル
パパの存在《そんざい》は超《ちょう》・重要《じゅうよう》だった
カッ
とはいえ就職《しゅうしょく》したパパは毎日会社で働き
週末は動画の撮影《さつえい》
お水
しっやあ
まとまった休みがとれても鬼《おに》スケジュールの撮影旅行《さつえいりょこう》へ
どりゃあああ
タタタタタタタタ
ブロロロロロロ…
実質休みゼロ!!!
二足のわらじは過酷《かこく》だった
ヨロ…
Job
もう限界《げんかい》…
ヨロ…

永住権《えいじゅうけん》①

永住権を得るために
移民コンサルタントさん
相談することにしたパパとママ
ご主人の場合 永住権がほしいなら… 申請《しんせい》可能《かのう》になるまで 1年はかかります
申請から 確定《かくてい》までの 待ち時間は 人によって ちがいます が
約1～2年 ですかね その間は働き 続けましょう
と言われた
ス…
だから たとえ仕事が 忙《いそが》しくても
ガリゴリ
ガリゴリ
永住権のため!!
動画撮影《さつえい》が 大変でも
はあ
はあ
永住権がおりるまで!!
はあ
はあ
とがんばった

※ただし現在はルールも変わっているので注意が必要です

コンサルタントさんと電話するたび
…まだ会社 続けないと ダメですかね?
そうですね まだですね
…と確認《かくにん》していた

PAPA COMMENT

永住権があれば、子どもの大学の学費が安くなるし、福祉《ふくし》サービスもカナダ国民と同じように受けられる。安心して暮《く》らすため、なんとかして永住権がほしいと思っていました。

永《えい》住《じゅう》権《けん》②

パパの会社勤《づと》めが
3年を過《す》ぎたころ
永住権
取得確定《しゅとくかくてい》
です！
ヤッター！
そして無事に
ぱあああ
住んでいいよ
PERMANENT
永住権
ゲット!!
パパありがとう
パパは迷《まよ》いも
あったけど
Bye
Bye...
OFFICE
会社員生活を
卒業することにした

夢《ゆめ》だった
「海外で働く」が
叶《かな》えられて満足
ガシィ
会社で出会った人も
いい人ばかりで
よい経験《けいけん》になりました

PAPA COMMENT

会社の仕事も充実《じゅうじつ》していたので迷いましたが…、体力的にも、会社かYouTube、どちらか選ぶしかない状況《じょうきょう》で、やっぱり夢《ゆめ》があるほうをと思い至《いた》り、YouTubeを選びました。

夫婦《ふうふ》の変化

パパが会社に勤《つと》めていたころ
お互《たが》いに自分のほうが大変だと思い よくイライラしていた
そんなパパとこれから四六時中《しろくじちゅう》一緒《いっしょ》…
大丈夫《だいじょうぶ》かな…
でも実際《じっさい》にはその逆《ぎゃく》で…
ママこんなにがんばってくれてたんだね
パパのおかげで編集《へんしゅう》もスムーズ
ケンカがめっきりなくなった
夫婦ってステキ

現在《げんざい》 パパは家事も育児もできるスーパーパパになりました
家のことはなんでもできます

コラム

忘《わす》れられないYouTube動画

漫画《まんが》にはおさめきれなかった思い出深い動画を聞きました！

なりきり動画※

KAHO 小さいころの「なりきり動画」はよく覚えてる〜。

SEI 自分の演技《えんぎ》が下手で、恥《は》ずかしくてもう見られない…。

KAHO 覚えてるのは、私がキャラのマネをしてかっこいい動きをしたら、パパを爪《つめ》でひっかいちゃったこと…。

PAPA 流血事件《じけん》。あったね〜。

MAMA 今は演技《えんぎ》する動画は恥《は》ずかしいからNGなんだよね？

KAHO やってあげない〜。

SEI 1000ドルくれたらやってあげる（笑）。

ホラー動画「3A.M.」

SEI 3A.M.動画が怖《こわ》かった。

MAMA 一時期やってたホラー動画だね。夜中の3時（3A.M.）になるとおもちゃが動き出して…キャー！っていう。ママ、動画の編集《へんしゅう》が楽しくて、怖くし過《す》ぎちゃった。

SEI 本当に怖くて、眠《ねむ》れなくなったもん…。もうこの話は怖いから終わりでいい…！

謎解《なぞと》きやドッキリも

PAPA 謎解きゲームマスターは？ 2人の誕生日《たんじょうび》プレゼントを探す謎解きが元祖《がんそ》かな。

MAMA 2人がプレゼントのゲーム機《き》の箱を興奮《こうふん》しながら開けてみたら、ただのパンが入ってたっていうドッキリをして。あの時は2人を本気で怒《おこ》らせちゃったよね…（苦笑）。

KAHO 色々ドッキリされて、今は「怪《あや》しい、ドッキリだ」ってすぐわかるけどね（笑）。

※「なりきり動画」は102ページにも紹介されている、有名キャラを演じる動画です。

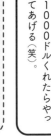

CHAPTER
8

かほせいチャンネルの旅の裏《うら》側《がわ》

かほせいチャンネルといえば、
思いっきり大胆《だいたん》な旅行計画！
これまで挑戦《ちょうせん》した旅行の中でも、
スペシャルな思い出を
皆さんにご紹介《しょうかい》します！

家族旅行で大切にしていること

わが家が長期休みごとにすること
それは旅行
目的はやっぱり動画撮影《さつえい》
かほとせいにとって特別な体験になるように
せっかくだから夢《ゆめ》のある場所へ！
そして…迷《まよ》ったらチャレンジ！
果敢《かかん》に飛《と》び込《こ》むこと
とはいえキラキラに見える動画の裏《うら》では
あわわわ
大ピンチのハプニングもたっぷりで…
わわわ
そんなドタバタな旅動画の
スチャ
裏側《うらがわ》をご紹介《しょうかい》します！

カリブ海の旅①　チャーター船

2019年の春
旅先をネットでリサーチして
ここだ！と決めた先は
美しい景色の中
コモリザメと泳げる
カリブ海の無人島
どーん
寝《ね》てる間に
移動《いどう》できる
高級な船を
貸《か》し切り
カッケー
ー！
ばーん
おしゃれな海の旅がはじまる…
と思いきや
ザザーンッ
ゆら
ゆら

オロロロロロロロロ
ちょ…パパ…
うっ
全員船酔《ふなよ》いマーライオンパーティー状態《じょうたい》でした
オロロロロロ
オエー！
おえーー

MAMA COMMENT

カリブ海で貸し切ったのはかっこいい高級ヨットとは言えど、小型船《こがたせん》なので海の波にもろにあおられ、全員船酔いに苦しみました…。寝泊《ねとま》りも船の上なので、約1週間ずっとすっきりしない日々を過《す》ごしました。特にママは、以前に痛《いた》めたぎっくり首の後遺症《こういしょう》で、船が揺《ゆ》れるたびに痛かった…（涙）。

カリブ海の旅②
貴《き》重《ちょう》品《ひん》ケース

楽しいカリブの旅を終えた
かほせい一家
ウィイイイーン
ただいま！まずは荷物の片づけをしようか～
ガチャ
カメラの入った貴重品ケースからかな
疲れてるけどカメラは整理しよう
そうそう今回の旅行は動画いっぱい撮《と》ったし編集《へんしゅう》がたのし…
わく わく
え
あれ…ちょっ
ギャーーー!!!
貴重品ケースがないいっ
カメラ6台と動画データ含《ふく》む貴重品すべて入ったカバンを空港に忘《わす》れた
つづく…!!

それでもカリブ海は
動画も見てください！
美しかった…

カリブ海の旅③
貴重品《きちょうひん》の行方《ゆくえ》

カメラ・パソコン・財布《さいふ》…全部もうきっと戻《もど》ってこない…
絶望だ……絶望……
何より一度きりの貴重な動画データを忘《わす》れてくるなんて……
私のバカ…
着信中
そんな絶望《ぜつぼう》の中電話が鳴った——
RRRR
ママ電話！鳴ってる！
ええっ空港に⁉ ある⁉ はいっ今すぐ取りに戻ります‼
どばっ
安心・安全の国・カナダに感謝《かんしゃ》
どばどばどば
その後 家族みんなでまた空港へと戻《もど》りましたとさ
まあとにかくよかったね…
ぎゅーッ

※カナダは13歳以下のお留守番はNGなので子どもたちも連れて行きました。

誕生日《たんじょうび》サプライズ旅行①
行き先

もうすぐかほせいの誕生日
ぱぁあああああ
お祝いをどうするか考え中です
悩《なや》みに悩んだ結果
今回の誕生日の最大のサプライズは
ドドドド
何も知らないかほせいを飛行機に乗せ
バァーン!
フロリダのディズニーワールドへ連れて行く案に決定
そうと決まればやるわよ~!
ダダダダ
飛行機・ホテル・チケットetc…準備《じゅんび》は完璧《かんぺき》!あとは決行するのみ

誕生日サプライズ旅行②
3日前

出発の3日前
ぱぁああああ
サプライズ前に普通《ふつう》の誕生日パーティーを開催《かいさい》
トランポリンではしゃぐせい
びょん
びょん
Hoooo
がしかし
ぐきッ
びえ~~~ん
せい! 大丈夫《だいじょうぶ》!?
せい まさかのケガ

誕生日サプライズ旅行③
痛《いた》がるせい

痛がって泣きやまないせい
びえーーー
必死!!
い…痛くないよな…?
ほら 大丈夫《だいじょうぶ》じゃない…!?
旅行のことは秘密《ひみつ》だから言えないけど…
せっかくのフロリダ旅行…
連れて行ってあげたい…!!
うるるる…
だ…大丈夫だよ!!
ちょっと親の空気を読み始めるせい↑
ほら…歩けるし…
よたっ
大丈夫!?
大丈夫!?

誕生日サプライズ旅行④
病院

念のため病院へ行くと
せいくん骨折《こっせつ》ですね
そりゃ泣くわ…
無理させてごめんなせい…
先生にこっそりフロリダへ行けるか相談した
あの…。
本人には内緒《ないしょ》ですがフロリダに3日後行けるでしょうか…?
コソコソ
折れてますがギプスすれば旅行は可能《かのう》ですよ
ヒソ
ヒソ
ひえ～よかった～
サプライズなのでDrと小声で会話

誕生日《たんじょうび》サプライズ旅行⑤
出発日

学校の先生も
サプライズに協力的
Kaho & Sei, Happy Birthday!
(かほ、せい、誕生日おめでとう！)
何!? どこ行くの!?
フフフ どこだろうね～
ブロロロ
ロロロ‥
しかし空港での会話でうっかり…
あ～フロリダはこっちね
フロリダ!?
フロリダってことは…え～と…
ぱあああ
ディズニー!?
バレた

誕生日サプライズ旅行⑥
到着《とうちゃく》

フロリダのディズニーは山手線内と同じ広さ
つまりめっちゃ歩く
山手線
Yamanote Line
ブクロ
ウエノ
トーキョー
シナガワ
メグロ
骨折《こっせつ》して車イスのせいは超《ちょう》・余裕《よゆう》
骨折してラッキーかも？
一方かほはぐったり
もう歩けないよ～…
いいなぁせい…
ぐたあ
いろいろあったけどサプライズの
フロリダ旅行はステキな思い出！
にっこーー!!
どどん

メキシコ旅行

思い出深いのは世界一大きなサメ
ど〜ん
ジンベイザメと泳ぐ
メキシコ旅行です
1時間の陸路から
1時間半の小型《こがた》ボートで揺《ゆ》られ続けて——
ザブン
ザブン
ゲロゲロゲロー
なにィ⁉ジンベイザメがなかなか見つからない⁉
グラ
大人たちが体力を消耗《しょうもう》する中
私《わたし》たち2人は
グラララ
いつでも飛び込めるよう
荒波《あらなみ》の中猛《もう》スピードで進む船のフチに待機
絶望
いたぞーーーっ
ザブーン
一瞬《いっしゅん》のできごとでした
心の準備《じゅんび》もなくカウントダウン!
え・え・え…
深い海に突《つ》き落とされます
3、2、1!!!
怖《こわ》い・イヤだと抵抗《ていこう》するヒマもなく
ザッバーン
そこに広がる景色を見て——
これほど神秘的《しんぴてき》な体験は
一生忘《わす》れないと思いました(でも、海は怖くなりました)

氷のホテル

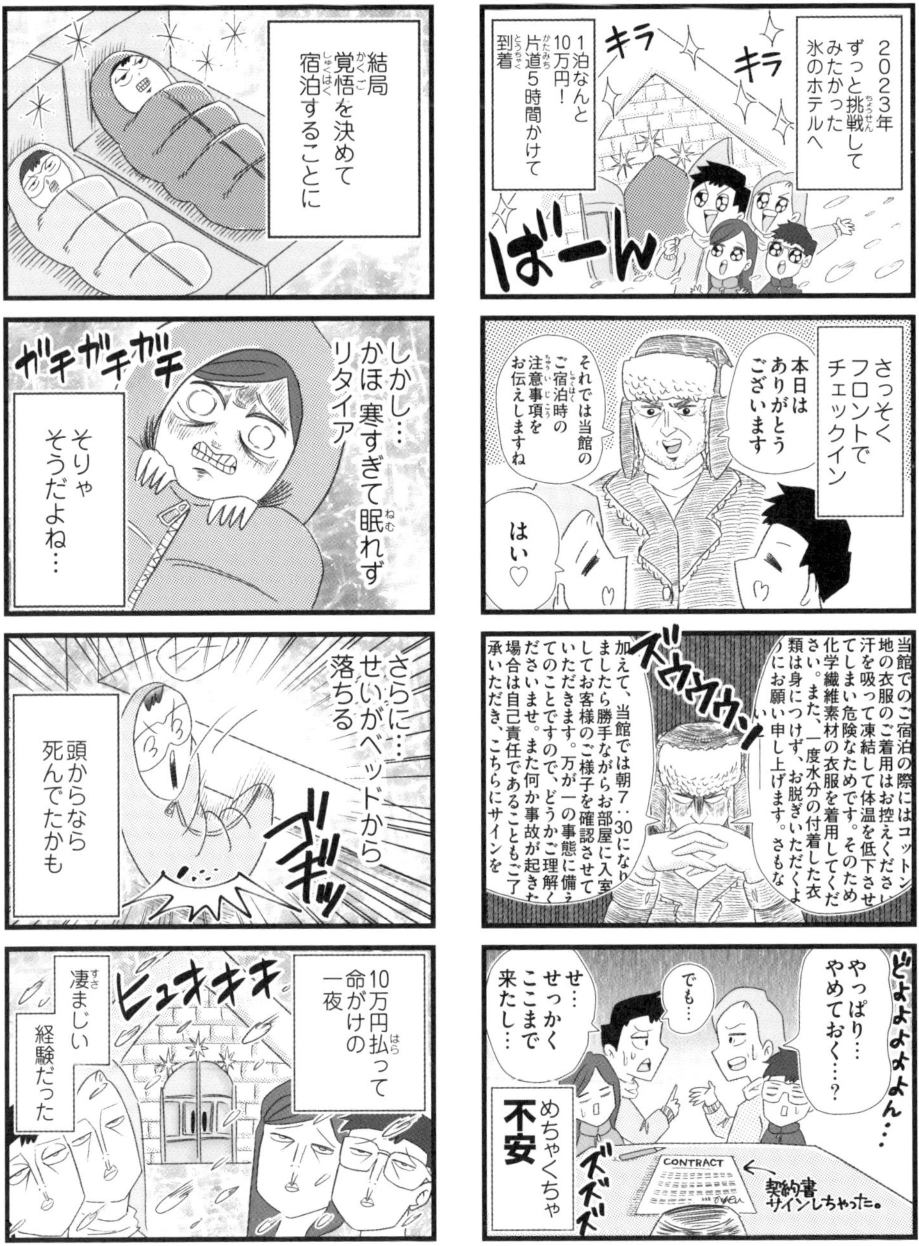
2023年
ずっと挑戦《ちょうせん》して
みたかった
氷のホテルへ
キラ
キラ
1泊なんと
10万円！
片道《かたみち》5時間かけて
到着《とうちゃく》
ばーん
さっそく
フロントで
チェックイン
本日は
ありがとう
ございます
それでは当館の
ご宿泊《しゅくはく》時の
注意事項《ちゅういじこう》を
お伝えしますね
はい♡
当館でのご宿泊の際にはコットン地の衣服のご着用はお控えくださ汗を吸って凍結して体温を低下させてしまい危険なためです。そのため化学繊維素材の衣服を着用してください。また、一度水分の付着した衣類は身につけず、お脱ぎいただくようにお願い申し上げます。さもな
加えて、当館では朝7：30になりましたら勝手ながらお部屋に入室してお客様のご様子を確認させていただきます。万が一の事態に備えてのことですので、どうかご理解くださいませ。また何か事故が起きた場合は自己責任であることもご了承いただき、こちらにサインを
ズウウウウン
どよよよよよん…
やっぱり…
やめておく…？
でも…
せ…
せっかく
ここまで
来たし…
めちゃくちゃ
不安
ズズズズ
CONTRACT
契約書
サインしちゃった。
結局
覚悟《かくご》を決めて
宿泊《しゅくはく》することに
ガチガチガチ
しかし…
かほ 寒すぎて眠《ねむ》れず
リタイア
そりゃ
そうだよね…
さらに…
せいがベッドから
落ちる
ゴギッ
頭からなら
死んでたかも
10万円払《はら》って
命がけの
一夜
ヒュオオオ
凄《すさ》まじい
経験だった

旅とYouTube

動画撮影《さつえい》のため
ばーーん
さあ着いたよ!
いろんな場所に旅行するわが家
じゃあみんな段取りは頭にたたきこんでね
くわっ
う
人間がこなせるスケジュールじゃないんじゃ
5:00
5:03
5:15
さあ
今回も撮影しまくって
おもしろい動画作るぞ!
でもやっぱりふと思う
ああいつかカメラ持たずに旅行したい
かほせいママ心の俳句《はいく》

MAMA COMMENT

旅先での撮影だけでなく、長期旅行の出発前もいつも大変です。旅行中に公開する動画＆サムネの貯金をなるべく用意しておきたいため、1か月くらい前から普通《ふつう》の時の2倍のスピードで作業をこなしていきます。出発するぎりぎりまで作業をすることが多く、飛行機に乗るまで、私たち本当にちゃんと出発できるのかしら…と思っています。そして、パッキングが前日ギリギリの夜中になる…。飛行機に乗った時にはボロボロでバタンキューです。いつか撮影のことをすべて忘《わす》れて、旅の準備《じゅんび》からゆったり楽しんでみたいものです。

まだある！　思い出の旅

コラム

ほかにもいっぱい、
思い出深い旅を聞きました！

犬ぞり体験

KAHO 色々ありすぎてすぐ忘《わす》れちゃうんだけど…まだ人気が出る前にやった「犬ぞり体験」は覚えてる！

PAPA あれ覚えてるのか～。

SEI あれはdog（犬）じゃなくてwolf（オオカミ）！

MAMA たしかにオオカミくらい荒々《あらあら》しい犬だったね（笑）。

KAHO 犬が全速力で走りながらウンチしてて、顔にウンチが飛んできたの（苦笑）。

MAMA あと、ほかの人のそりはプロの操縦士《そうじゅうし》さんがいたのに、うちだけなぜかパパが操縦で、ほんと怖《こわ》かった！

PAPA いや～あれ、本当なんで俺《おれ》が操縦したんだろう…。

野生のブタがいる無人島

MAMA 無人島の海でブタが泳いでるところに行ったら、ブタが思ったより大きくて凶暴《きょうぼう》で。

KAHO 襲《おそ》われそうで怖かった。

PAPA ほかの旅行客のおばさん、ブタにおしり噛《か》まれてたもんな。

MAMA 2日かけて行ったけど…今ならノー（行かない）だね。

SEI ノー（行かない）！

お気に入りの場所は

SEI イグアナがいた島。

MAMA イグアナはブタとちがって静かだからね…（笑）。

KAHO 日本。あとはやっぱりディズニー！　特にクルーズは最高だった！

SEI クルーズのごはん、おいしかった。

PAPA クルーズ船の中に4つレストランがあって、キャラにも会い放題だしね。

MAMA 思い出がいっぱいで文字数が全然たりません！

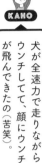

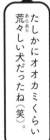

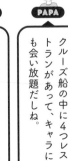

CHAPTER

9

かほせい チャンネルの これから

ここまでは過《か》去《こ》を中心に
ふりかえってきましたが…、
最後に、かほせいファミリーそれぞれの
「今」と「これから」をお伝えします。

最近の動画制作

現在《げんざい》私たちだけでなく
編集《へんしゅう》のスタッフさん２人
時々ヘルプの方が１人
どーーん!!
シュバババババ
COMPANY
プラス会社１社とで動画を作っています
以前多い時にはスタッフさんが10人いたことも…
ズラーー
もはや
ちょっとした会社ですね
ニコッ
ニコッ
どどーん!

動画の企画《きかく》

動画の企画は基本《きほん》
うーーん
２人で考えてます
さらに!
NAME
THEME
CONTENT
かほ
せい
スタッフ
だれでもアイデアが出せるシートがあり…
もしアイデアが採用《さいよう》されたら
ぱあああ
オオッ
1$
2$
10$
ボーナスが出るのだ!
この制度《せいど》を導入《どうにゅう》してから
やった採用!
おこづかいゲット!
ボーナスをおこづかい代わりにしています
ふふふ

カメラのない場所では

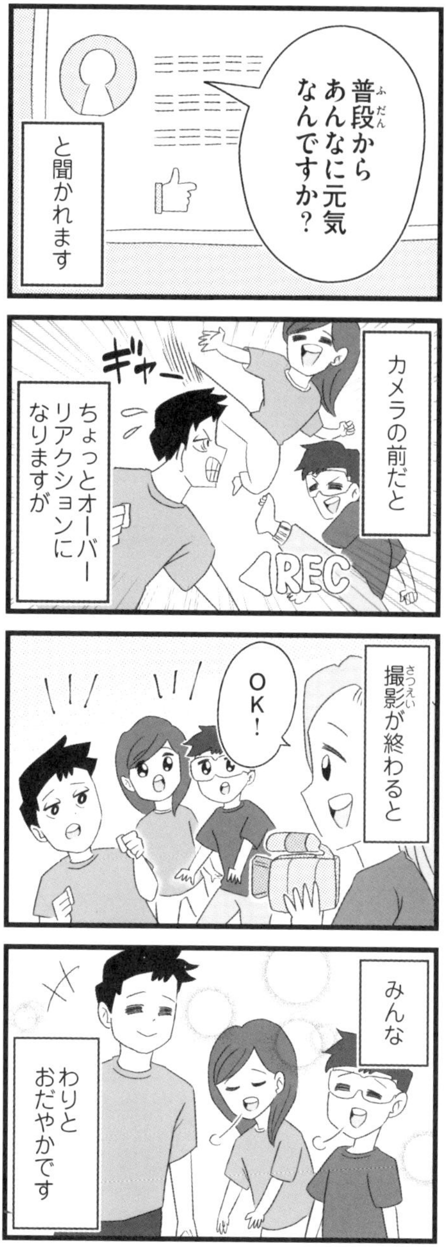
普段《ふだん》から
あんなに元気
なんですか？
と聞かれます
カメラの前だと
ギャー
ちょっとオーバー
リアクションに
なりますが
REC
撮影《さつえい》が終わると
OK！
みんな
わりと
おだやかです

撮影以外は
声も張らないし
わりと
静かかも…？

MAMA COMMENT

パパは撮影してないときも多少はいじられキャラですが、動画の中でのような激《はげ》しい感じではありません。みんなにキャンキャン言われる愛されキャラです。

かほの目標

これからは勉強をがんばりたい！と思ってます
ばーん！
そろそろ将来《しょうらい》のことを考えないとって思ってます だから勉強が最優先《さいゆうせん》かな…
うーん
でもできる範囲《はんい》で
YouTubeも続けていきたい！
友達との関係や私生活《しせいかつ》をちゃんと大事にして過《す》ごしたいです！
COBANL

高校進学も目前！
高校生活はもっと自由な環境《かんきょう》になりそうで楽しみです！

せいの目標

チャンネル登録者数…200万人!!
まじか!?
まずは家族で楽しく過《す》ごせたらいいなと思ってます
勉強は…もうちょっと先でもいいかなあ
ゴゴゴゴゴ
でも 時が来たらちゃんとがんばります!
グッ
最近はバスケットボールをがんばってます!
KHSE
目標は、学校のチームのスタメンになること!

パパの目標

筋《きん》トレですね
ムキ
ムキキ
おじいちゃんになってもちゃんと荷物を持てるように…筋肉は大事かなと
あとは家事全般《ぜんぱん》かっこよくこなしたい
どやっ
PAPA
そして何より家庭円満をキープしたい
ママ♡
ギゅっ

いつか、ママの夢《ゆめ》の「世界一周旅行」に夫婦《ふうふ》で行きたいです！

PAPA COMMENT

思春期になるかほせいときちんとコミュニケーションをとり、理解《りかい》のある父になることも目標のひとつです。

ママの目標

ほわ
ほわ
ちゃんと おふろに入る 生活が基本《きほん》！
うーん
あとは そろそろ かほせいも 大きくなって きたので…
2人の意見・ ペースに合わせて YouTubeは 続けたいですね
どーん
2人が忙《いそが》しく なったら…パパと 2人でチャンネル を続けるのも いいかも！
なーんてね

いつも応援《おうえん》 本当にありがとう ございます
この先もきっと カナダで暮《く》らす 私《わたし》たちですが
これからも ずっと よろしくね！

おわりに

コミックエッセイを出版《しゅっぱん》することが決まり、これまでの思い出をふりかえってみると、何よりもまず、日頃《ひごろ》から応援《おうえん》してくださる皆《みな》さんに対し、感謝《かんしゃ》の気持ちでいっぱいになります。

カナダに移住《いじゅう》してYouTubeをはじめたことで、信じられないほど多くの体験をしました。辛《つら》かったり大変だったりしたこともありましたが、普通《ふつう》だったら決してできないような挑戦《ちょうせん》もいっぱいさせてもらいました。貧乏《びんぼう》生活の中、節約するためにインドア生活を続けていた私たちが、様々な場所に出かけていけるようになったのは、「かほせいチャンネル」を応援《おうえん》してきてくれた皆さんのおかげです。いつも見守っていてくれる皆さんに心から『ありがとう』と伝えたいです。

一方で、かほとせいもそろそろお姉さん・お兄さんになり、勉強や友達との関係、将来《しょうらい》のことなど、少しずつ忙《いそが》しくなってきました。最近では動画の撮影《さつえい》時間を確保《かくほ》することもなかなか難《むずか》しい状況《じょうきょう》です。２人の気持ちや時間を優先《ゆうせん》することが何より大事だと考える今、これからの動画投《とう》稿《こう》のスタイルは、改めて冷静に考えていきたいと思う今日このごろです。

とはいえ、これからも私たちの動画を楽しみにしてくれる皆さんと一緒《いっしょ》に「かほせいチャンネル」という場を守り育てていけたらいいなと思っています。カナダに暮《く》らす親戚《しんせき》からのビデオレターを観《み》るような気持ちで、私たち家族をのんびりと応援してくれたら、とってもうれしいです。

この本では、これまで動画ではお伝えしてこなかったエピソードも多くありました。もしかすると、皆さんを驚《おどろ》かせるものもあったかもしれませんが、できるだけ素直な気持ちを漫画《まんが》にしてもらえるように心がけたつもりです。漫画家のこばぱさんには、最後まで細かなリクエストにも応《こた》えていただきました。またKADOKAWA編集者の柳沢さんには、「本を出しませんか?」と初めにお声がけいただき、自分たちの人生をコミックエッセイにするという信じられないような素敵《すてき》な機会を作っていただきました。この場を借りてお礼を申し上げます。

どうかこの本に書かれたエピソードも含《ふく》めて「かほせいチャンネル」の一部として、あたたかく受け止めてくださったら幸いです。

最後に、皆さんが、私たちの動画を通して少しでも笑顔になれることを願っています。

これからも「かほせいチャンネル」を、どうぞよろしくお願いします。

カナダより、愛をこめて。

2024年3月　かほせいチャンネル

スタッフ

構成協力：田島弘章
装丁：小口翔平＋須貝美咲（tobufune）
本文デザイン：マツヤマチヒロ（AKICHI）
DTP：木蔭屋
校正：文字工房燦光、鷗来堂、Brooke Lathram-Abe
写真撮影：伊東武志（Studio GRAPHICA）
ヘアメイク：なかじぃ、高山萌（KIND）

著者・原作 **かほせいチャンネル**

カナダ在住の家族YouTuber。パパとママ、双子のかほ＆せいの4人家族。「24時間チャレンジ」をはじめとした企画動画が人気を博し、子どもから大人まで世代を超えて絶大なる支持を集める。
YouTubeチャンネル登録者数は140万人超（2024年3月現在）。
YouTube：@KahoSeiChannel
Instagram：@kahosei

漫画 **こばぱぱ**

ちょっぴりハイテンションな、娘大好き2児の父。自身の日々の子育てを描いた漫画が人気を集め、Instagramフォロワー数は4万人を超える（2024年3月現在）。
Instagram：@kobapapaaa
X（旧Twitter）：@kobapapaaa
ブログ：https://kobapapa.blog.jp/

カナダ移《い》住《じゅう》、家《か》族《ぞく》4人《にん》でチャレンジ中《ちゅう》！

2024年4月26日　初版発行
2024年6月15日　4版発行

著者・原作／かほせいチャンネル
漫画／こばぱぱ
発行者／山下　直久
発行／株式会社KADOKAWA
〒102-8177　東京都千代田区富士見2-13-3
電話0570-002-301（ナビダイヤル）
印刷所／図書印刷株式会社
製本所／図書印刷株式会社

●お問い合わせ
https://www.kadokawa.co.jp/
（「お問い合わせ」へお進みください）
※内容によっては、お答えできない場合があります。
※サポートは日本国内のみとさせていただきます。
※ Japanese text only

定価はカバーに表示してあります。

ISBN 978-4-04-606714-2　C0095